Finland Gardens

Introduction

フィンランドの人々は、森の中をお散歩して
ベリー摘みをしたり、きのこ狩りをしたり。
サウナのあとには、そのまま湖に飛びこんだり。
いつも森や湖と一緒に、暮らしてきました。
そんな暮らしぶりを聞いていると、私たちのそばにある
自然そのものが、お庭になるのだと気づかされます。

ナチュラルな魅力あふれるフィンランドの暮らしにひかれ
ライラックの花が風にゆれる、夏のはじまりに
ガーデニング好きのアーティストたちのお庭を訪ねました。
おうちのまわりをぐるりと囲む、ホームガーデンや
コテージで暮らしながら、庭づくりができる、市民農園。
そして土地づくりからはじめた、森の中の大きな菜園も！
みんなうれしそうに、大切に育ててきた植物たちのこと、
思い思いのお庭での時間の過ごし方を、案内してくれました。

お庭でとれたベリーやりんごの自家製ジュースやジャムに
キッチンガーデンで育てた野菜やハーブを、食卓に並べて。
テラスに集まって緑に包まれながら、楽しくおしゃべり……。
フィンランドのお庭には、暮らしのよろこびが詰まっています。

ジュウ・ドゥ・ポゥム

Anu Saari and John Lundsten

contents

Krista and Janne Keltanen
クリスタ＆ヤンネ・ケルタネン
photographer and art director... 6

Maarit Kivistö
マーリット・キヴィスト
senior communications officer at WDC Helsinki 2012 14

Anu and Mikko Paakkanen
アヌ＆ミッコ・パーッカネン
visualist and designer 22

Teresa Moorhouse and Vesa Hinkola
テレサ・ムーアハウス＆ヴェサ・ヒンコラ
graphic designer/illustrator and architect 30

Anu Saari and John Lundsten
アヌ・サーリ＆ヨン・ルンドステン
textile designer and screenwriter 36

Helsinki Guide
ハカニエミ・マーケット広場 42

Helsinki Guide
アンナラ・ガーデン 44

Anna Varakas and Laura Karhunen
アンナ・ヴァラカス＆ラウラ・カルフネン
editor and interior architect 46

Helsinki Guide
フィンランドのオーガニックな暮らし 50

Helsinki Guide
トーロ湾のまわりをお散歩しよう 52

Harri Hautajärvi
ハッリ・ハウタヤルヴィ
architect 54

Julia Donner
ユリア・ドナー
art historian ··· 60

Ritva and Pertti Varakas
リトヴァ＆ペルッティ・ヴァラカス
interior architect and entrepreneur ···································· 64

Riina and Jussi Palva
リーナ＆ユッシ・パルヴァ
architects ··· 70

Saara Lehtonen
サーラ・レヒトネン
blacksmith/jewellery designer ······································· 78

Heta and Tuija Kuchka
ヘタ＆トゥイヤ・クチュカ
artist and gallerist ··· 82

Leena Yli-Lonttinen and Raimo Teränne
レーナ・ユリ＝ロンッティネン＆ライモ・テランネ
architects ··· 88

Porvoo Guide
ポルヴォーをお散歩しよう ·· 94

Petri Salmela
ペトリ・サルメラ
graphic designer ··· 98

Samu-Jussi Koski
サム＝ユッシ・コスキ
fashion designer ·· 104

Suomenlinna Guide
世界遺産スオメンリンナをお散歩しよう ······························ 110

Rati and Pekka Sihvonen
ラティ＆ペッカ・シヒヴォネン ·· 114

Eeva-Kaisa and Taneli Ratas
エーヴァ＝カイサ＆タネリ・ラタス
project assistant and luthier ·· 118

Krista and Janne Keltanen

クリスタ＆ヤンネ・ケルタネン
photographer and art director

しらかばやカエデなど、大きな木々に囲まれた
クリスタさんとヤンネさんの黄色いおうち。
ふたりが少しずつ手を入れている、お庭には
子どもたちのための小さなコテージも。
そばでは、ライラックの白い花が風にゆらゆら
さわやかで、やさしい香りがふんわり漂います。
フィンランド語で「ようこそ」と書かれた
看板の下の窓から、アリサちゃんが顔をだして
「ヘイ！ママ、ムーミンの絵本を読んで」

手づくりのコテージにぶらんこ、家族みんなのお楽しみ

フォトグラファーのクリスタさんと、広告代理店でアートディレクターとして活躍するヤンネさん。3人の子どもたちと一緒に、ヘルシンキでもっとも古い住宅地のひとつ、タパニラで暮らしています。家族の住まいは、フィンランド独立の1917年に建てられた木造邸宅。かなり傷んでいた家の手入れがひと段落したので、最近はお庭づくりを楽しんでいます。クリスタさんのアイデアを、ヤンネさんが形にして、素敵なコテージや家庭菜園などが生まれました。これから花壇を増やしたり、池を作ったりしたいというヤンネさん。お庭は家族みんなのお楽しみの場所です。

左上：捨てられていたミルク缶をリメイクして、お花のプランターに。黒い壁は、ガーデニング道具をいつでも並べておけるように、ヤンネさんが作りました。右上：新鮮なルッコラを摘んで、これから朝ごはん。右下：洗濯物干し場もヤンネさんの手づくり。小さな道具は、柱のフックに。

上：末っ子のアリサちゃんと、お姉さんのメリリちゃん、そしてレムくんの素敵な5人家族。中：ドアへあがる階段のまわりは、ツタやクレマチスなどをはわせて、ナチュラルな雰囲気に。左下：かわいらしいぬいぐるみが入った、鳥かごでコテージをデコレーション。中下：玄関先に吊るすフラワーバスケットは、毎年春に用意。右下：40年代のソーダボトルは、友だちからのプレゼント。

上：家の目の前にある大きな白樺の木に取り付けた、ぶらんこでゆらゆら。左下：ピンクの愛らしい花を咲かせるレウイシアは、ヤンネさんお気に入りの植物。しらかばのまわりには、元気のない苗を引き取って、ふたたび花が咲くようにとお世話した、さまざまな草花が植えられています。右下：キッチンガーデンのハーブ用プランターは、高い位置に葉っぱがあるので、収穫しやすそう。

上：クリスタさんのためにヤンネさんが作ったガーデン・ソファー。ここでコーヒーを飲んだり、雑誌を読んだりするのが楽しみです。左中：今年はおいしいきゅうりがとれるようにと、キッチンガーデンに苗を植えるところ。左下：洋服を洗うための古いお鍋を、プランターに再利用。右下：鉢の中で大きく育った多肉植物を、花壇に植え替えするヤンネさんを、レムくんがお手伝い。

上:しらかばの木に張ったハンモックは、子どもたちのお気に入りの場所。ヤンネさんは、このあたりに池を作りたいと計画中。左下:ルピナスなどの花々を束ねたブーケを飾って、お庭の食卓を楽しみます。右下:朝ごはんのメニューは、オープンサンドとパンケーキ。右ページ:大きなテーブルを置いた石畳の広場のまわりを、カエデや松、スプルースの木々と草花が囲みます。

Maarit Kivistö

マーリット・キヴィスト

senior communications officer at WDC Helsinki 2012

きらきら輝く太陽と、まぶしいほどの青い空の下
大きくはためく、WDCのフラッグを目印に……
マーリットさんの水色のコテージとお庭へ。
コテージへの入り口は、しゃくやくの小道。
濃い緑の中に、いまにも花を咲かせそうな
つぼみが、まんまるの顔をのぞかせています。
春から夏にかけ、ここで暮らすマーリットさん。
自分が植えた種から芽がでて、育っていく
その様子を見守るのは、大きなしあわせです。

大好きな花と緑に囲まれた、小さなカントリーサイド

デザインと街をテーマにしたイベント「ワールド・デザイン・キャピタル・ヘルシンキ2012」で、プレス関係のマネージメントをしているマーリットさん。地方で育った彼女にとって、子どものころから野菜や草花を育てることは暮らしの一部でした。親友がコテージを持っていたことがきっかけで、このクンプラ市民農園へ。マーリットさんのお庭には、1927年の開園当時からある古いりんごの木をはじめ、プラムやライラック、ひなぎくやミッドサマーローズといった、さまざまな植物が植えられています。ハーブや野菜など、キッチンガーデンの実りも毎年の楽しみです。

ヘルシンキで2番めに古いクンプラ市民農園には、大小さまざまな268区画のお庭があります。最初は小さな場所からはじめたマーリットさん。広告で見つけ、ひとめぼれしたこのコテージ付きのお庭にお引っ越ししました。コテージは、さわやかな北欧の夏らしい水色にペイントしなおしたばかり。

左上：キッチンの窓辺には、バンコクから持ち帰ったボールランプ。エステリ・トムラがデザインした野菜柄のお鍋と、おばあちゃんの青いやかんは、どちらも大切な宝物。右中：お母さん手づくりのリンゴンベリー・シロップのジュース。左下：サンナ・マンダーのイラスト入りコットンバッグは、WDC ヘルシンキの公式グッズ。右下：アラビアから発表された、WDC ヘルシンキ記念のマグ。

コテージの外にあるキッチン・シンクは、マーリットさんがデザインして、お父さんが作ってくれたもの。鉢植えハーブへの水やりも、この水場から。来年はペイントしようと計画中です。

上：ピンクのグラスのキャンドルホルダーを飾った、ぶらんこにゆられながら、読書したりお昼寝したり。後ろのりんごの木はホワイト・トランスペアレントという品種で、1927年に植えられたもの。左下：お母さんからプレゼントされた人形たち。右下：バンコクから持ち帰ったタイの伝統的なクッションは、いろいろな使い方ができるので、コテージの暮らしにぴったり。

左上：バジルやさまざまな種類のサラダ菜などを集めた「サラダ・テーブル」には、お母さんが種から育てたビオラやマリーゴールドも。右上：割れてしまったワイングラスを木に吊るしてキャンドルホルダーに。左中：繊細ながら力強い黄色の花を咲かせる、キンポウゲの一種。左下：家庭菜園では毎年、新しい野菜を育てることにトライ。右下：春になると、木陰に吊るすハンモック。

Anu and
Mikko Paakkanen

アヌ&ミッコ・パーッカネン
visualist and designer

大きなりんごの木にのぼって遊ぶ、ヒルラちゃんと
フラワーバスケットに水やりするヘルッタちゃん。
プードルのレムくんが、遊んでほしそうに見上げます。
学校がおやすみになると、パーッカネン一家は
夏のあいだ、市民農園のコテージで暮らします。
子どもたちは、ここで過ごすのが大好き。
まだみんなが眠っているうちに、お庭にこっそり出て
いちごを食べることもできるんだよ！と笑いながら
朝の秘密のお楽しみを教えてくれました。

絵本から抜け出したよう、かわいいお庭で家族の時間

ヘルシンキ北部にあるバキラ市民農園は、ヴァンター川が近くに流れていて、田舎のような雰囲気が楽しめる場所。スタジオ・パーッカネンを立ち上げ、デザイナーとして活躍するミッコさんと、デパートで家庭用品売り場のスタイリングを手がけるアヌさんは、家から遠すぎない場所に、コテージ付きのお庭を持ちたいという夢を叶えました。法律で市民農園のコテージは自由に変更することはできないのですが、状態が悪くなっていたため、古い設計図をもとにミッコさんがリフォーム。夏のあいだ、そして冬もときどきやってきて過ごす、家族みんなのお気に入りの空間です。

左上：レムくんと遊ぶヒルラちゃん。その後ろにあるプランターシェルフは、Studio Paakkanenを運営するミッコさんがデザインしたもの。右上：ミッコさんと子どもたちが作った巣箱に、どんな鳥がやってくるか楽しみ！右下：水色のホーロー鍋に、あわいピンクのゼラニウムを植えて。

上：ミッコさんがリノベーションしたコテージ。屋根裏部屋は、家族みんなで休めるベッドルームになっています。中：コテージのリフォームがひと段落したので、これからはお庭にもっと手をかけていきたいというパーッカネン・ファミリー。左下：フィンランド語で「ウニッコ」と呼ばれるポピーの花。中下：ガラスの器に、子どもたちの大好きなすいかをたっぷりと。右下：市民農園の通り沿いで、花盛りのルピナスを、テーブルに飾って。

左上：ヘルッタちゃんのワンピースは、マリメッコのテキスタイルでアヌさんが手づくり。右上：ぶらんこのそばには、しゃくやくとポピーの花壇。左下：ミッコさんが、このコテージのためにデザインしたキッチン。右中：マリメッコのポットホルダー。テキスタイルの名前「プータルフリン・パルハート」はフィンランド語で最高の庭師という意味。右下：ミッコさんデザインのスタッキング・スツール。

上:芝生に寝転んで、読書するヒルラちゃん。学校がおやすみになったので、蛍光ピンクのマニキュアでちょっぴりおしゃれして。黄色い物置小屋の前には、アヌさんが作った葉っぱ型の飛び石を並べました。左下:素朴な表情の花たちが、どの木の根元にも植えられていて、かわいらしい雰囲気。右下:赤く色づく前のレッドベリー。パイに入れたり、ジュースにしたり。

左上：ミッコさんが作ったアウトドア・キッチン。ガーデニングしたあとに手を洗ったり、収穫した野菜を洗ったりできるので、お庭にあるととても便利。右上：ルバーブの大きな葉っぱを手に。右中：収穫したルバーブを水洗いして、ピカピカに。左下：皮をむいたルバーブを一口大に切って、パイ生地の上にたっぷりと乗せていきます。右下：オーブンで焼いたら、ルバーブパイのできあがり。

子どもたちもお手伝いできる簡単でシンプルなルバーブパイは、ママのオリジナル・レシピ。夏のお庭ならではの味です。

Teresa Moorhouse and Vesa Hinkola

テレサ・ムーアハウス&ヴェサ・ヒンコラ
graphic designer/illustrator and architect

通りに面した、青いゲートをくぐると
街ではめずらしいほど広い、公園のような緑の空間。
ぐるりと中庭を囲む、アールヌーヴォー様式の
アパルトマンに暮らす住人たちの憩いの場所です。
ここに10歳まで住んでいたというテレサさん。
木のぼりしたり、ボール遊びをしたり、
家族や友だちとピクニックを楽しんだり。
子どものころのテレサさんと同じように、
アンドレくんとリュリュちゃんも楽しみます。

雨のあがった午後、ライラックの広場でおやつタイム

色あざやかな森に迷いこんだしろくまを描いた「ナヌク」など、マリメッコでさまざまなデザインを発表しているテレサさん。建築家として活躍するご主人のヴェサさんと子どもたちと一緒に、ヘルシンキ南部のウッランリンナに暮らしています。このアパルトマンの中庭の美しい花々と広さは、近隣の人たちにもうらやましがられるほど。ライラック、りんご、ライムなど、昔から残る大きな木々に守られているようで、子どもたちものびのびと遊ぶことができます。3つに分かれているお庭のまん中、小さな噴水のあるお気に入りの広場で、今日はおやつタイムです。

右上：テレサさんがマリメッコのためにデザインした「ナヌク」のテーブルウェア。テーブルに広げたテキスタイル「サトゥマ」は、子ども時代にこのお庭で過ごした思い出と『不思議の国のアリス』からインスピレーションを得たデザイン。右下：ブルーチーターもテレサさんのデザイン。

上：テレサさんとリュリュちゃんが、お庭にやってきました。このアパルトマンとお庭は、今年ちょうど100周年。当時植えられたというライラックやりんごの木が、いまでも残っています。
左下：テレサさんがデザインした「ムンモラン・マルヤット」は、おばあちゃんの家のベリーがモチーフ。右下：広いお庭は家族だけでなく、ここで暮らすみんなとの素敵な交流の場。

左上：ライラックの葉っぱに興味津々。左中：フィンランド生まれのキャラクター、アングリー・バードをお絵描き。右上：木登りが得意なアンドレくん。左下：木の棒の一本橋を渡るアンドレくんについていくリュリュちゃん。滑らないように気をつけて！右下：テレサさんデザインのブルーベリー柄テキスタイル「ミッリィマキ」のクッションが、お庭の緑によく映えます。

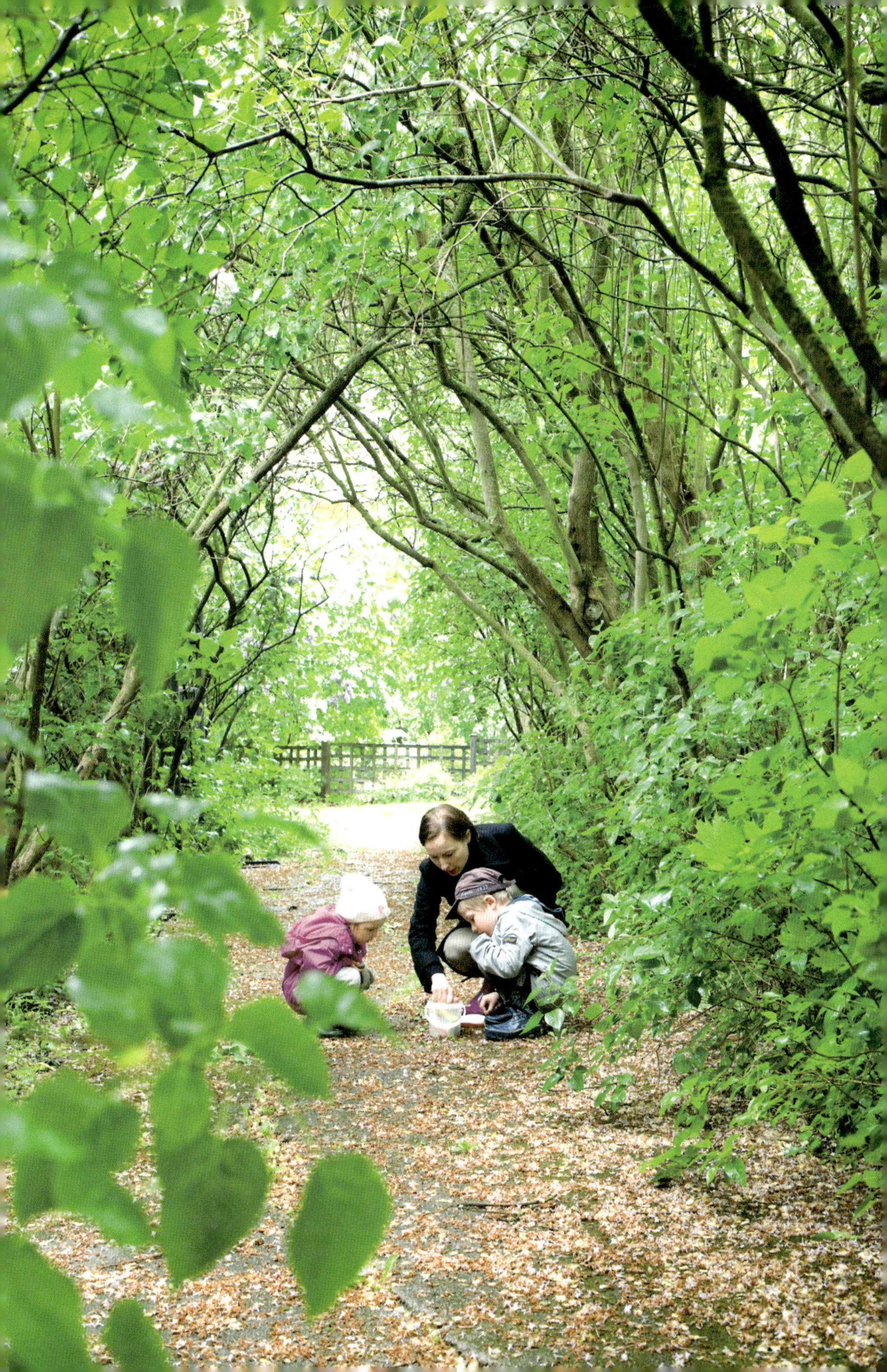

Anu Saari and John Lundsten

アヌ・サーリ&ヨン・ルンドステン
textile designer and screenwriter

よく晴れた日に、洗濯物を戸外で乾かすのは
フィンランドでは、夏だけのよろこび。
シャボンのいい香りに、包まれながら
あたたかい太陽の光と心地よい風を感じます。
アヌさんが、ロープにテキスタイルを干すあいだ
大きなカエデの木陰で、ヨンさんは脚本を執筆中。
お茶の時間など、普段は家の中でするようなことも
日が長くなると、お庭でやりたくなるもの。
夏だけは、お部屋がもうひとつ増えるのです。

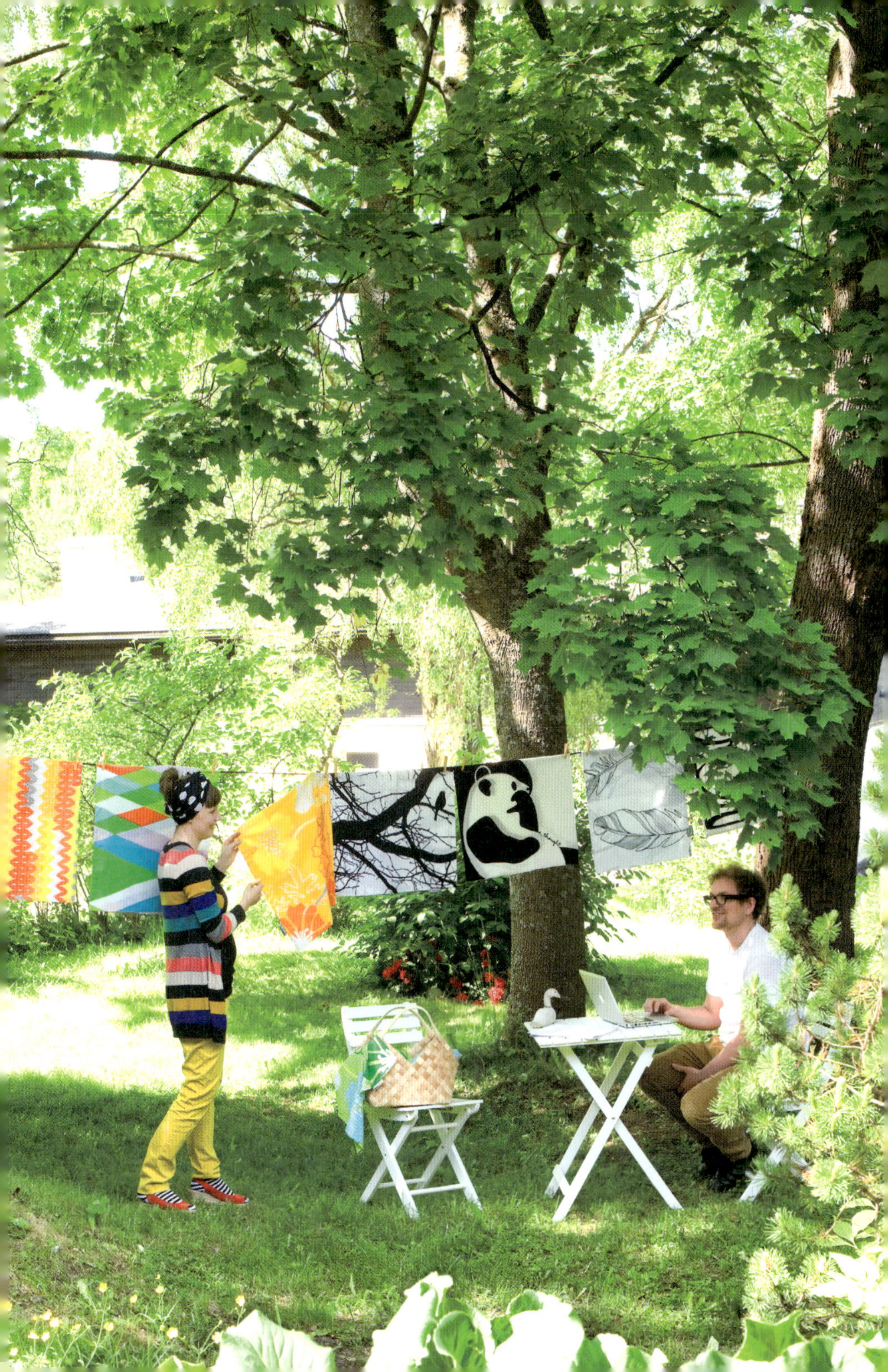

いきいきフレッシュな緑に囲まれた、サマールーム

1920年代に建てられた木造の集合住宅が、いまも残るカピュラ地区。オレンジとダークレッドとイエローという壁面の色も変えられることなく、オリジナルのまま。家と家のあいだには、緑豊かな中庭があります。テキスタイル会社のルフタ・ホームのコンセプトデザイナーのアヌさんと、映画やテレビドラマの脚本家のヨンさんは、春にこの家に引っ越してきたばかり。芝生の広がるお庭にはカエデにスグリ、さくらやライラックも。はりねずみやうさぎなどの動物がよく遊びにやってきます。ハーブや野菜を鉢植えにして、キッチンガーデンにもチャレンジしはじめたところです。

上：アヌさんがフィンランドのテキスタイル・ブランド、ルフタ・ホームやフィンレイソンのためにデザインしたテキスタイルがずらり。左下：2013年のLuhta Homeのコレクションのためのデザイン・スケッチ。右下：フィンランド語で羽根という意味の「スルカ」という名前がつけられたクッション。

左上：マグダちゃんが大きくなったら、一緒に水やりできるように、2サイズのじょうろを用意。右上：3か月になるマグダちゃんと。左中：植木鉢には、チェリートマトとスイバ。トロール人形が野菜の成長を見守ります。左下：靴についた雪を落としてくれる、玄関先のはりねずみたち。お庭にも本物のはりねずみがやってくるのだそう。右下：ハーブガーデンからフレッシュなミントを摘んで。

左上：アヌさんと友だちのマリさんが立ち上げたMoikoのグリーティング・ミトンは、5か国10種類のあいさつがデザインされています。右上：フレッシュなミントティーは、夏にぴったり。テーブルクロスはLuhta Homeの「アナナス」。左下：オレンジの花を咲かせる、ヤハズカズラ。右中：Luhta Homeのクッションスツール。右下：お母さんが教えてくれたレシピで作る、パブロワ・ケーキ。

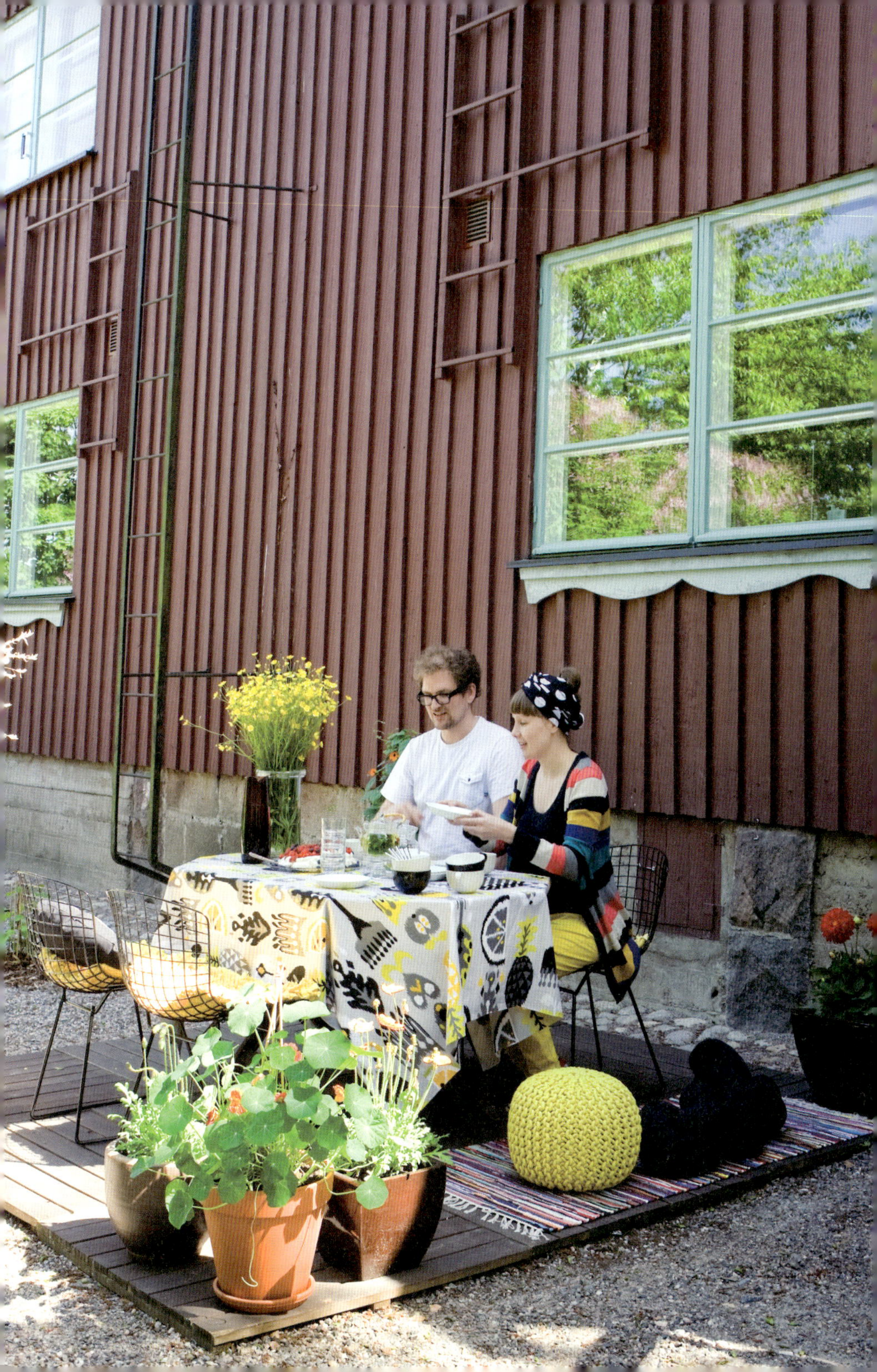

Helsinki Guide

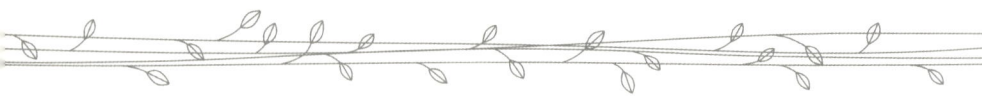

アンナさんがガイド！ヘルシンキのガーデナーの1日
One day of a gardener in Helsinki

ガーデニングが大好きで、雑誌にコラムも連載しているエディターのアンナさん。「ヘルシンキのガーデナーたちは、どんなところで植物の苗を買ったりするの？」とたずねてみたところ、案内してくれることになりました。アンナさんと一緒に苗を探しにマーケットへ、そしてお散歩が楽しめる庭園へでかけましょう！

ハカニエミ・マーケット広場
Hakaniemi Market Square
www.hakaniemenkauppahalli.fi

ハカニエミ・マーケットホール前の広場にたつ市場は、月曜から土曜まで地元の人たちでにぎわう場所。野菜や果物、パンなどの食品はもちろん、一角には苗を扱うお店が集まります。子どものころから、おばあさんと一緒によく買い物に来ていたというアンナさん。苗を買うときは、ポルヴォーからやってくる有機栽培のお店がお気に入り。

夏の訪れを知らせるルバーブは、
お菓子やジャムにして楽しみます。

フィンランド・サウナに欠かせない、
しらかばの若い枝を束ねたヴァスタ。

夏から秋まで長い期間、楽しめるマリーゴールドの苗を購入。

Helsinki Guide

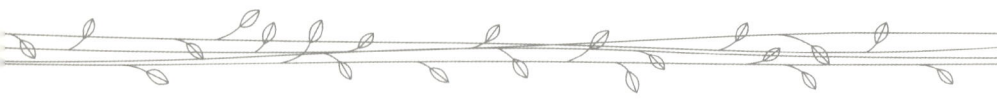

アンナラ・ガーデン
Annala Garden
Hämeentie 154

アラビア・ファクトリーにほど近く、トラムで気軽に訪ねることができるアンナラ・ガーデン。ギュスタヴ・ワセニウスが1826年にオープンした、歴史ある庭園です。市民農園エリアのほか、有用植物協会が育てる薬用ハーブ園、ちょうちょの庭や染色用の植物園などテーマ別のお庭も。緑に囲まれた小道をたどってお散歩すれば、気分もリフレッシュ！

上：アンナラ・ガーデンの入り口、幾何学式庭園をあがると、目の前に白い美しい建物ヴィラ・アンネベリがあります。**左下＆右下**：植物たちが厳しい冬を越せるようにと1844年に作られたオランジュリーの中では、ロシア帝国時代のゼラニウムなどの植物の苗が大事に育てられています。

園内では、有用植物協会が招いた
アーティストによる作品展も。

毎年5月には、ここで育てられた苗はもちろん、誰もが自慢の苗を持って参加できる、ガーデナーたち注目のマーケットが開かれます。

協会が貸し出しているアロットメント・ガーデンでは、有機農法だけが認められています。

Anna Varakas and Laura Karhunen

アンナ・ヴァラカス&ラウラ・カルフネン
editor and interior architect

アンナラ・ガーデンの丘の下に広がる市民農園。
ポピーの小道と、ニゲラの小道のあいだに
アンナさんとラウラさんのお庭があります。
お料理が好きなアンナさんと、自分が食べるものを
育ててみたいと思っていたラウラさん。
ガーデニングの経験はなかったふたりですが
育てながら、たくさんのことを学んでいるところ。
苗のお世話をしながら、次はなにを植えてみる？と
ふたりのおしゃべりにも、花が咲きます。

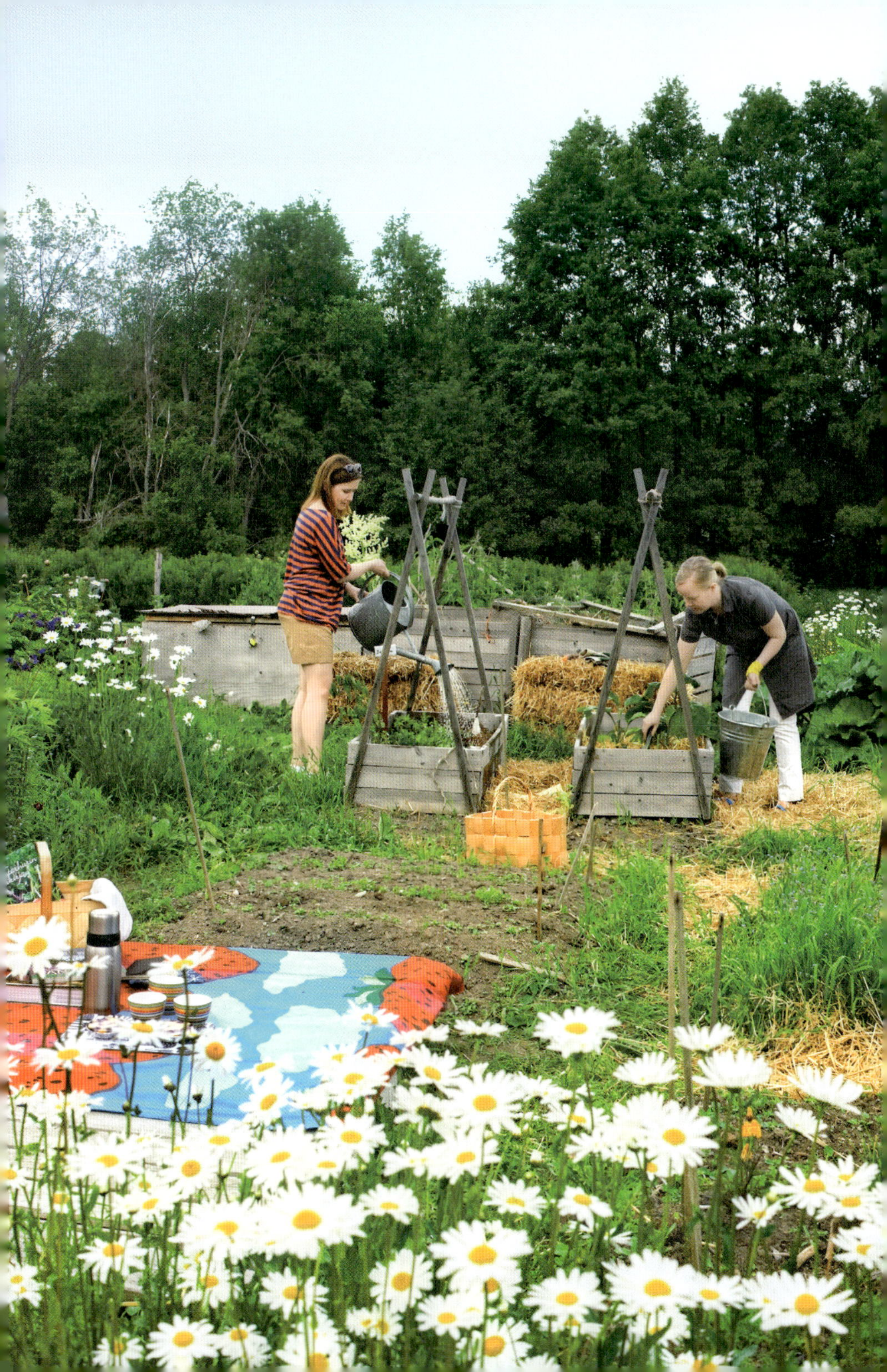

デイジーに囲まれた、ふたりのオーガニック・ガーデン

アンナラ・ガーデンを運営する有用植物協会が、メンバーに土地を貸し出しているアンナラ市民農園。化学物質を禁止して、オーガニックな農法をとっていることに興味をもったフリーランス・エディターのアンナさん。すぐにお庭を借りることにして、友だちと一緒にお世話をしてきました。いまのパートナーは、インテリア・デザイナーのラウラさん。野菜とお花がミックスしたお庭が好きというふたり。いまはデイジーが花盛り、野菜の苗はまだ小さく、成長を見守っているところです。お店で買うものとは違う、新鮮でおいしい野菜の収穫を楽しみにしています。

左上：マリーゴールドを植えるふたり。独特な香りを持つこのお花は、虫やちょうちょを招いてくれるので、キッチンガーデンにぴったり。右上：ふたりが今年はじめて植えてみたフランス生まれのじゃがいも。おいしいと評判の品種なので、収穫が楽しみ！右下：ガーデニング道具は、友だちからアンナさんへのウェディング・ギフト。

左上：大好きなルバーブを手にしたラウラさんと、お庭で育った花をブーケにしたアンナさん。**左中**：ハカニエミ・マーケットで買ったブルーベリーケーキ。**右上**：熱湯を入れた水筒を持ってくれば、フレッシュな畑のミントティーが楽しめます。**左下**：毎年お庭の様子を記しているガーデン・ノート。**右下**：誕生日にもらったバスケットに、チャイブとオレガノのハーブ・ブーケを入れて。

Helsinki Guide

フィンランドのオーガニックな暮らし
A whole organic lifestyle

木々の中をお散歩したり、ベリーを摘んだり、きのこ狩りをしたり、森と親しい暮らしをしているフィンランドの人々。森はみんなの庭であり、その恵みを分かちあうという姿勢はいまでも変わっていません。自然とともに歩むフィンランドの暮らしの中で、オーガニックへの意識はさらに高まってきています。デザインも素敵なヘルシンキのオーガニック食材店をご案内します。

アントン＆アントン
Anton & Anton
Mariankatu 18
www.antonanton.fi

自分の家族に食べさせたいものだけを集めたスーパーマーケットを作りたいという、ニーナさんの思いから生まれたアントン＆アントン。黒と白のタイル張りの床がモダンな印象の店内には、毎日の食卓に欠かせないオーガニックの食材が種類も豊富に取り揃えられています。テイクアウトの軽食メニューは、ランチにおすすめ。

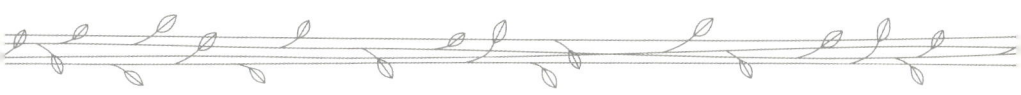

イート＆ジョイ
クルーヴィ・ショッピングセンター
Eat & Joy
Kluuvi Shopping Center
Aleksanterinkatu 9
www.eatandjoy.fi

小さな生産者たちが大切に手がける質の高いオーガニック食品を、フィンランド全土から集めるイート＆ジョイ。街の中心部の大通りに面したクルーヴィ・ショッピングセンターの地下にできたお店では、カフェも併設。トナカイの肉やサーモン、チーズ、乾燥きのこ、ライ麦パンなど、フィンランドの味を知ることができます。

ユーレン・プオティ
Juuren Puoti
Korkeavuorenkatu 27
www.juurenpuoti.fi

デザイン・ミュージアム近くにあるラヴィントラ・ユーリは、森で収穫した野生の野菜を使ったメニューが有名なヘルシンキの人気レストラン。すぐ隣にユーレン・プオティという食材屋さんをオープンしています。オーガニックのお肉や野菜から、小さな生産者が手がけるパン、ベリーやハーブの加工品など、エコロジカルな地元の味が集まります。

Helsinki Guide

トーロ湾のまわりをお散歩しよう
Walking around Töölönlahti

トーロ湾のまわりは、海岸線に沿って緑たっぷりの遊歩道が続く、お散歩にぴったりの場所。湾の東側の小高い丘は、フィンランド語で鳥のさえずりという意味の「リンヌンラウル」と呼ばれる、古い木造の邸宅が見られるエリア。街の中心部からつながる西側にはアート施設が建ち並びます。公園をジョギングしたり、日光浴をしたり、思い思いに過ごすヘルシンキの人々と出会うことができます。

リンヌンラウル公園
Linnunlaulu Park

リンヌンラウル公園のお散歩の途中に寄りたいブルー・ヴィラ・カフェは、トーロ湾を一望できる場所。鉄道の高架橋の近くにあります。小さな水色のコテージでメニューをオーダーしたら、木陰に広がるテーブル席へ。日替わりのスープ・ランチのほか、パイなどのお菓子が楽しめます。

ブルー・ヴィラ・カフェ
Blue Villa Café
Linnunlauluntie 11

ウィンターガーデン&ローズガーデン
Winter garden and Rose garden
Hammarskjöldintie1

湾の北側、ヘルシンギンカトゥ通りの向かいにある、きれいな温室と庭園。1893年築の温室では、200種以上のエキゾチックな植物が見られます。市からレンタルして、結婚式などのイベントも可能。温室の前に広がる幾何学庭園では、さまざまな種類のバラが花を咲かせます。

トーロンラハティ公園
Töölönlahti Park

カハヴィラ・テューニ
Kahvila Tyyni
Helsinginkatu 56

トーロンラハティ公園をお散歩していると、オペラハウス近くに見つけることができる、小さなカフェ。遊歩道に出ている黒板の手書き看板を見逃さないで。水辺のテーブル席で、おいしいコーヒーとペストリーをどうぞ。桟橋の上のテーブルは、ヘルシンキの人々の特等席!

53

Harri Hautajärvi

ハッリ・ハウタヤルヴィ
architect

キヴィノッカの森を抜けて広がる、おだやかな海。
ごつごつとした岩肌をのぞかせる、岸辺には
ハッリさんの海のコテージ、メリマヤがあります。
風景にとけこむ、シンプルな造りのコテージ
そのまわりは、繊細な野の草花が揺れる草原です。
あちこちから水鳥たちが、その翼を休めにやってくる
対岸は、ヨーロッパでも有名な鳥のサンクチュアリ。
ハッリさんは、バードウォッチングをしたり
季節の移り変わりを感じて、自然を楽しみます。

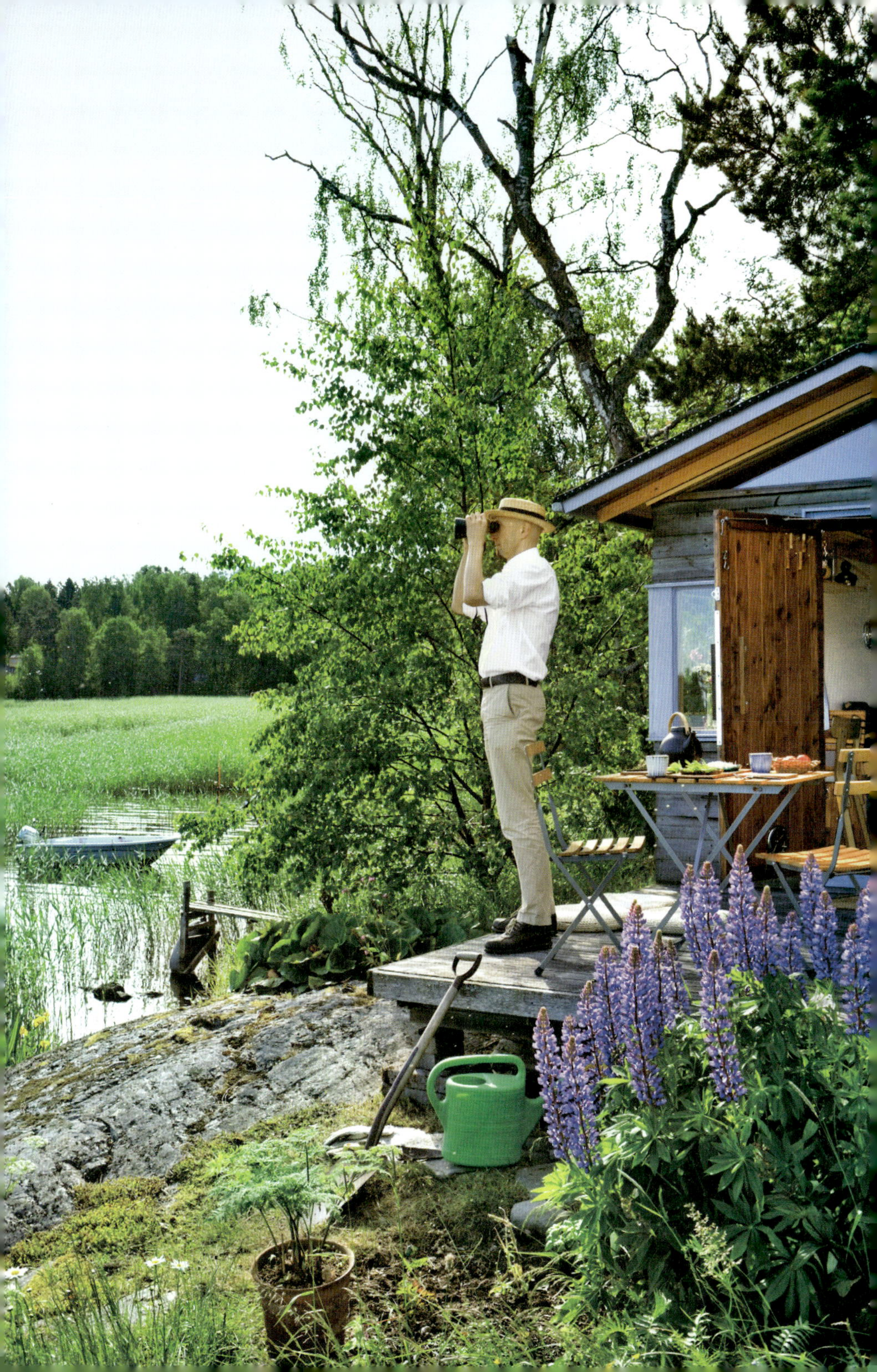

豊かな自然をそのままに、エコロジカルなお庭とコテージ

ヘルシンキ市内から数キロの近さにある、自然保護区のキヴィノッカ。豊かな自然の中をジョギングしたりサイクリングしたりできる人気のレクリエーションの場です。また森の中にはコテージがあり、春から秋にかけて、多くの人々がリフレッシュの時を過ごします。建築家のハッリさんは、自分で建てた海辺のコテージで、言語学研究所のマネージャーのパシさんと一緒に暮らしています。環境と人にやさしいエコロジカルなガーデニングを目指すふたり。野の草花と多年草が、周囲の森ととけこむナチュラル・ガーデンには、鳥や虫たちも多く遊びにやってきます。

上:フィンランド語で海のコテージを意味する「メリマヤ」という名前のとおり、海を一望できるすばらしい空間。左下:ルネッサンス期のドイツの画家アルブレヒト・デューラーの画集は、当時の植物を知ることができる1冊。右下:対岸にやってくる300種以上の鳥を、テラスから観察。

左上：テラスに出したテーブルで、朝ごはんを楽しみます。右上：クラシカルなカンカン帽が似あうハッリさん。建築雑誌の編集長を務めていたこともあり、いまはラップランドの建築についての本を執筆中。左中：デューラーの画集に出てきた、古い品種の青いオダマキ。左下：海にむかって並べたデッキチェア。右下：友人から譲られた鉢植えのチャービルを、お庭に植え替えます。

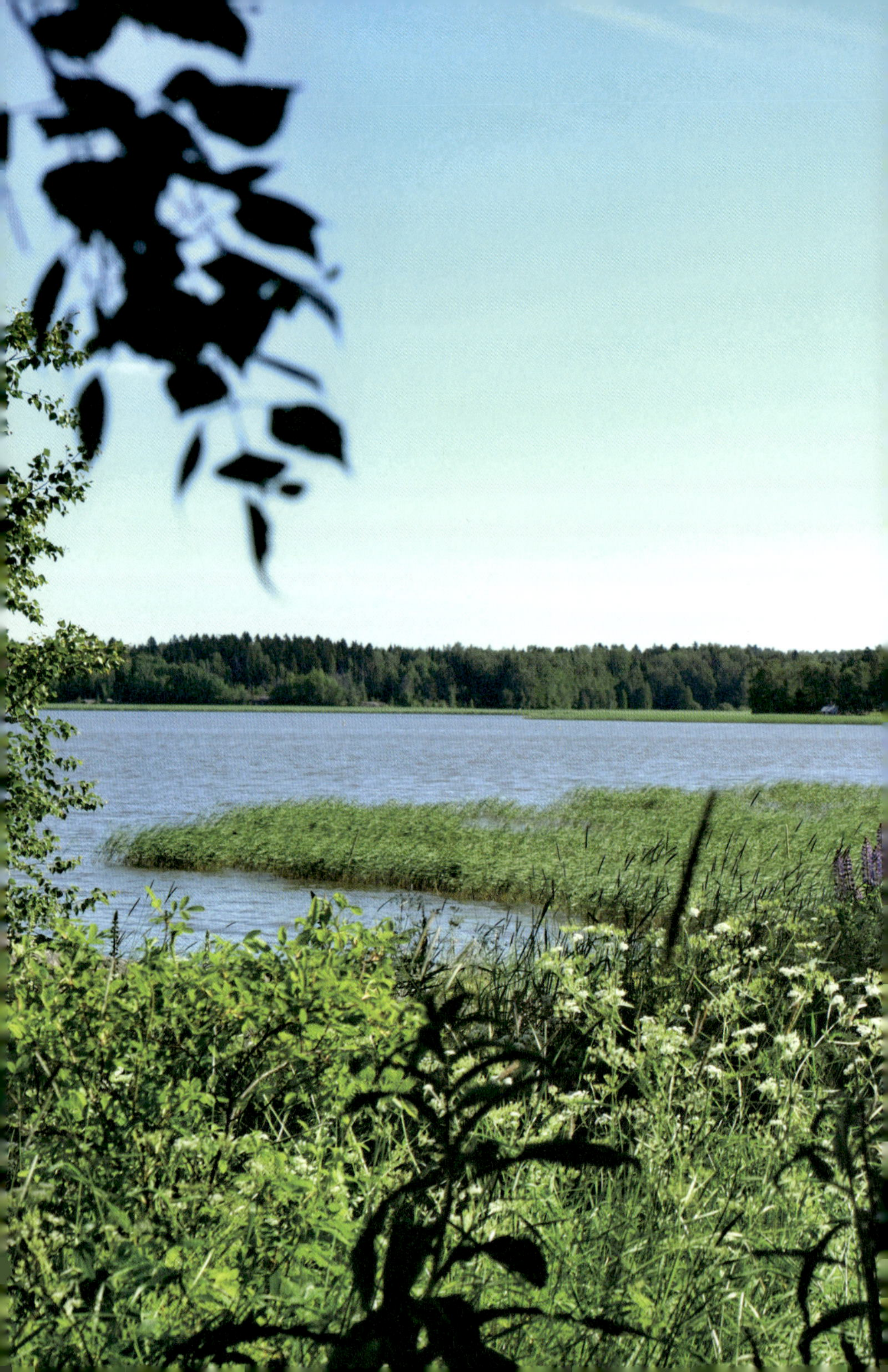

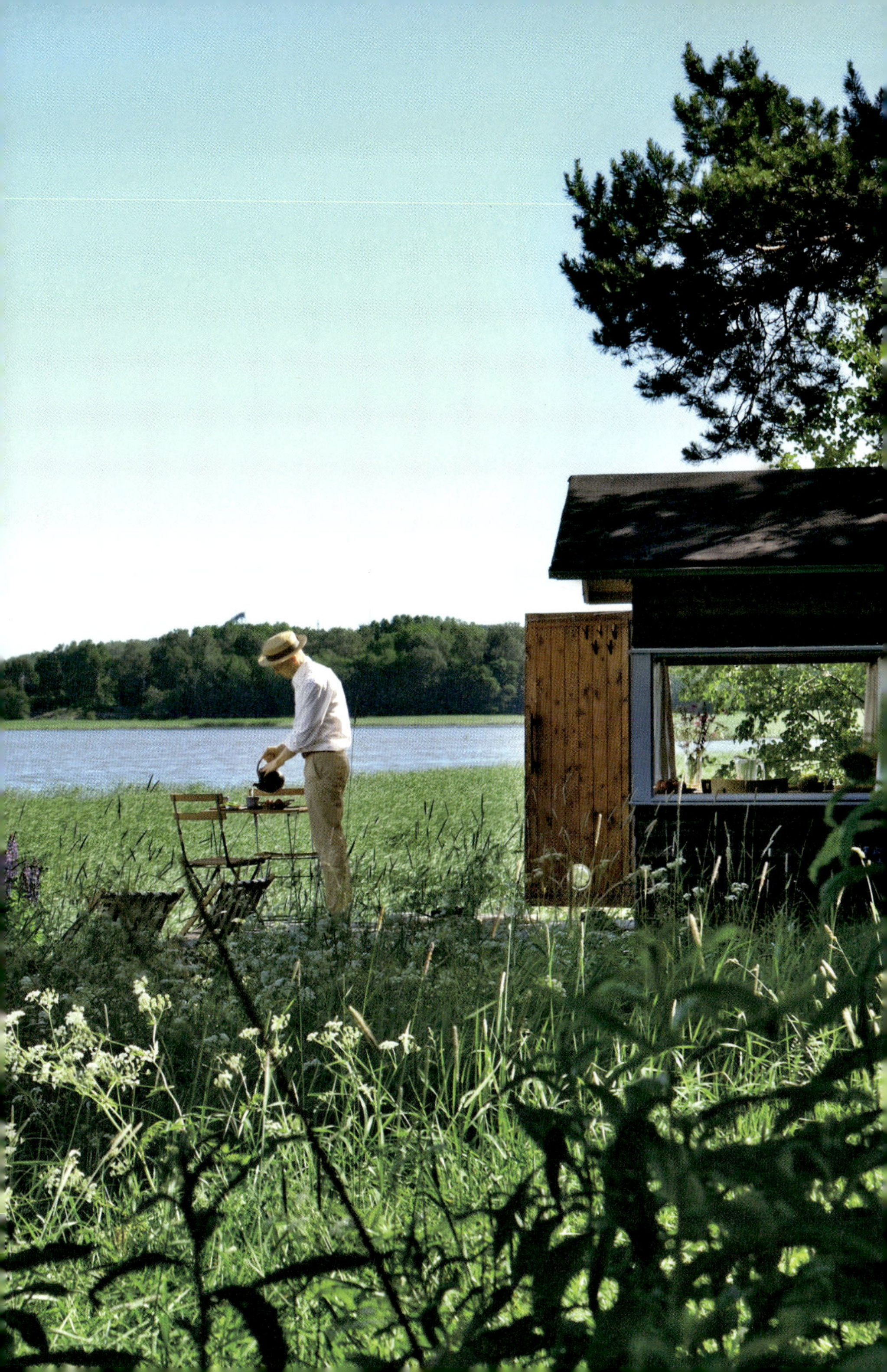

Julia Donner

ユリア・ドナー
art historian

通りに沿って行儀よく並ぶ、テラスハウスを見ると、
どんな裏庭がその後ろにあるのか、想像が広がります。
ユリアさんのおうちは、4軒が連なるテラスハウス。
部屋を通り抜けて、リビングから、お庭を眺めると
大きく育った木々の下に、どこまでも広がる緑の世界。
アンティークの園芸本が、ユリアさんの参考書です。
チューリップに、ダリアなど、四季ごとの花壇を作ったり
カエデの木陰で、ホームメイドのジュースを楽しんだり。
素敵なディテールが積み重なった、家族のための空間です。

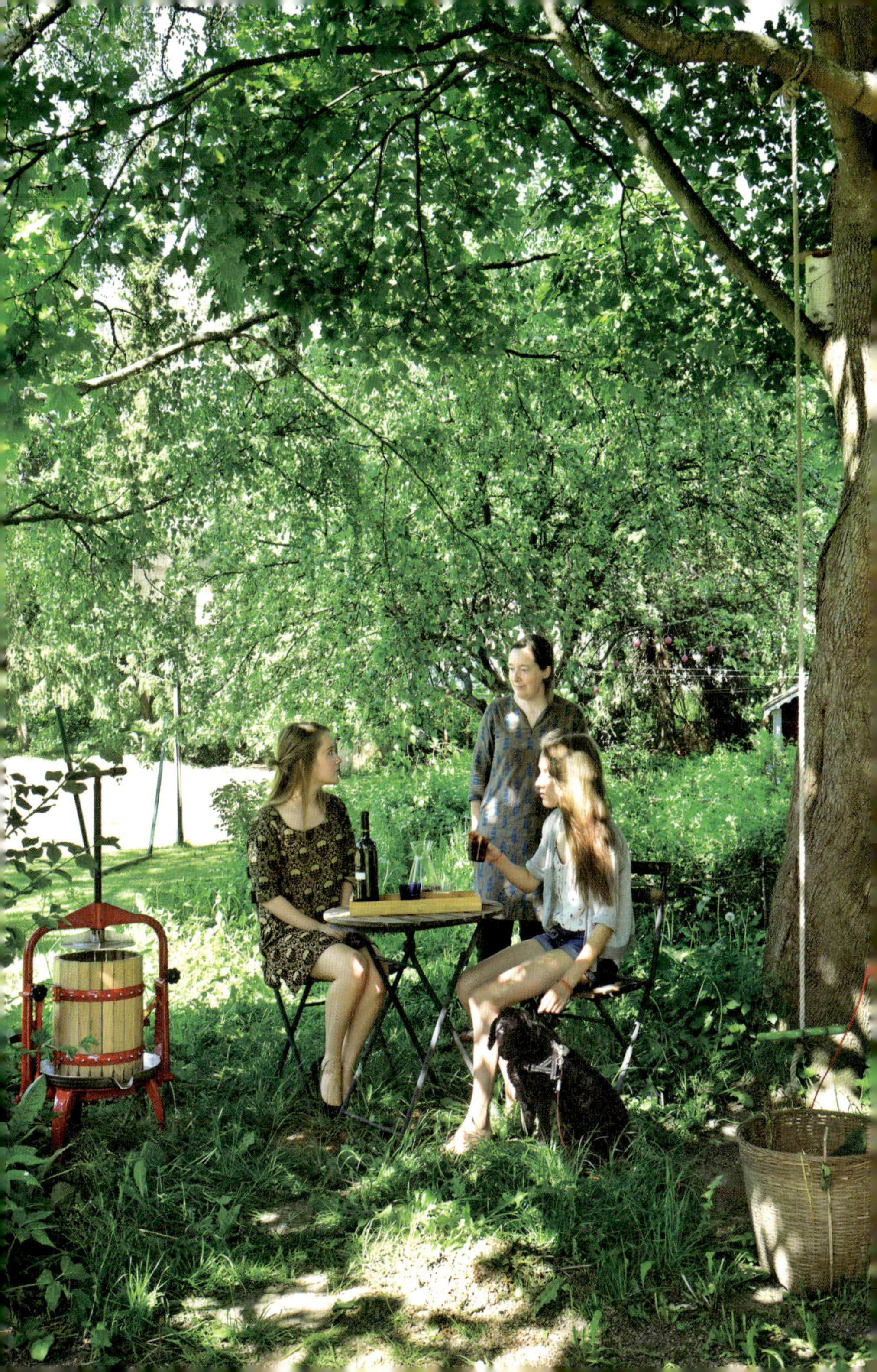

ガーデニングで、植物にも家族にも心地よい部屋づくり

美術史研究家で、お庭にまつわる著書も出版しているユリアさん。ご主人で画家として活躍するマルクスさんと、3人の娘さんたち、そして黒いプードルのピキと一緒にバキラに暮らしています。このあたりは大きな裏庭付きの家が多いことで、昔からよく知られたエリア。ユリアさんは広々としたお庭に「3つの部屋」を作ることにしました。家のそばはテラスと花壇、次にカエデの下のシャドウ・ガーデン、いちばん奥はりんごやベリーの果樹園です。光の動きや家族みんなの過ごし方を見ながら、ゆっくりと植物にも人にも心地よい場所を作る工夫をしています。

お庭のいちばん奥にある果樹園には、5本のりんごの木とベリーの茂みがあります。コテージは、末っ子のアイノちゃんがレストランごっこをする場所。ドアには「庭のレストラン」という店名と営業時間が書かれた看板がでています。

左上：お姉さんのソニアちゃんとヘルミちゃん、そしてユリアさんの3人がお庭を案内してくれました。左中：フィンランドのホーム・ガーデンについてまとめた、ユリアさんの著書。右上：果樹園でとれたりんごジュースと、ベリーのジュース。左下：マルクスさんが作った柵で囲まれるのは、ブラックカラントの木。右下：写真が趣味のソニアちゃんが撮影した、2011年の秋のダリア。

Ritva and Pertti Varakas

リトヴァ＆ペルッティ・ヴァラカス
interior architect and entrepreneur

しらかばやナナカマドなど、大きな木々に囲まれた
リトヴァさんとペルッティさんのおうち。
テラスで、朝ごはんやランチをしていると
はりねずみやうさぎ、ときにはキツネまで
お庭にやってきた、森の仲間を見つけることも。
小鳥のさえずりを聞くのが好きというふたり。
「いつもテラスの近くを、行き来している
この鳥は、家の裏手の木に巣をかけたようね」
ふたりで過ごす、庭時間は、毎日が発見です。

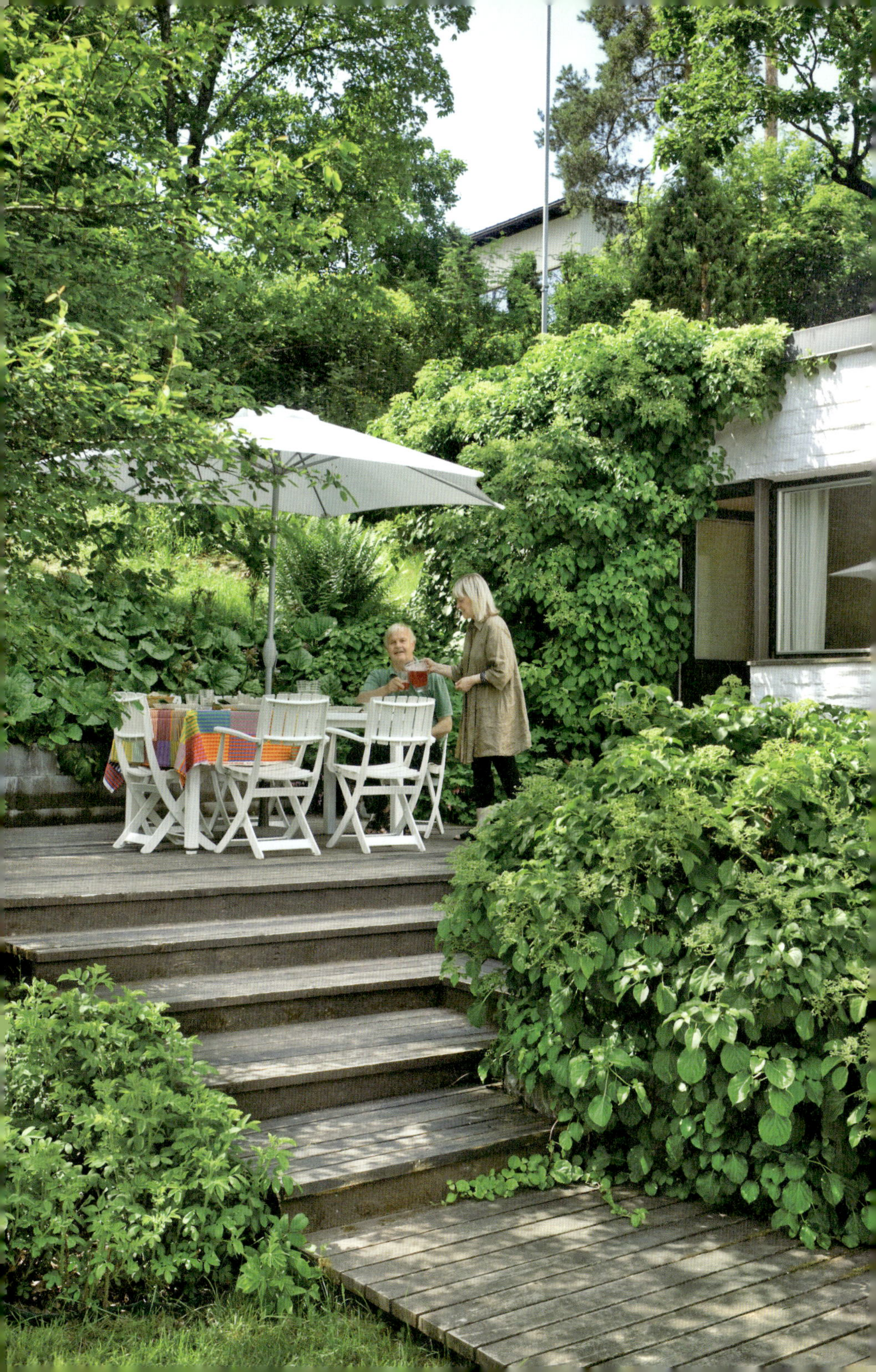

モダン・デザインのホームガーデンは、森の中のオアシス

オウルンキュラは、70年代から80年代にかけて生まれた住宅街。当時のモダン建築が多く見られるエリアです。インテリアデザイナーのリトヴァさんと実業家のペルッティさんの住まいも、ちょうどそのころ1977年に建てられました。建物のまわりを囲むお庭は、10年ほど前にガーデン・デザイナーの手を借りてリノベーション。木々や花の場所を定めて、全体のフォルムを整えることで、お庭に動きと季節感が生まれました。子どものころからガーデニングに興味を持っていたというリトヴァさん。ペルッティさんに手伝ってもらいながら、植物の世話を楽しんでいます。

左上：パーク・ライラックの木が、美しい藤色の花を咲かせています。エントランスの石畳は、ヘルシンキ市内の道路に使われている石と同じもの。右上：郊外の市民農園にコテージ付きのお庭も持っている、ガーデニング好きのふたり。右下：ガーデン・デザイナーのオウティ・タフヴォネンさんが描いた設計図。

上：ガーデンテーブルでのランチタイム。今日のメニューは、ローストチキンに野菜サラダ、バジルを添えたモッツァレラチーズ、ルバーブパイ。中：お庭を一望できるよう、リビングには大きく窓がとられています。左下：リトヴァさんの卒業記念写真を窓辺に飾って。中下：お庭に咲いていたアイリスとデー・リリーの花で作ったブーケ。右下：フィンランドのインテリア雑誌「アヴォタッカ」で1981年に紹介されたことも。

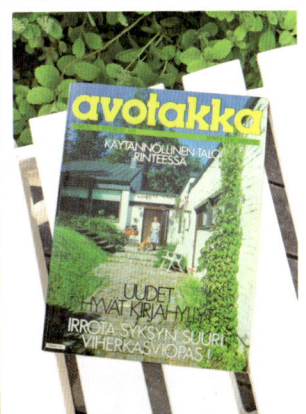

上：裏庭にあるテラスでは、野菜の苗を育てているところ。じゃがいもは特においしいと評判です。左下：愛用のガーデニング道具と、トマトときゅうり、イースターのデコレーションで使う猫草の種。右中：息子のアンッティさんの娘たちロッタちゃんとロンヤちゃんとソフィアちゃんが遊びにきました。右下：お母さんのメッテさんが作ったパッチワーク・キルトをお庭に広げて。

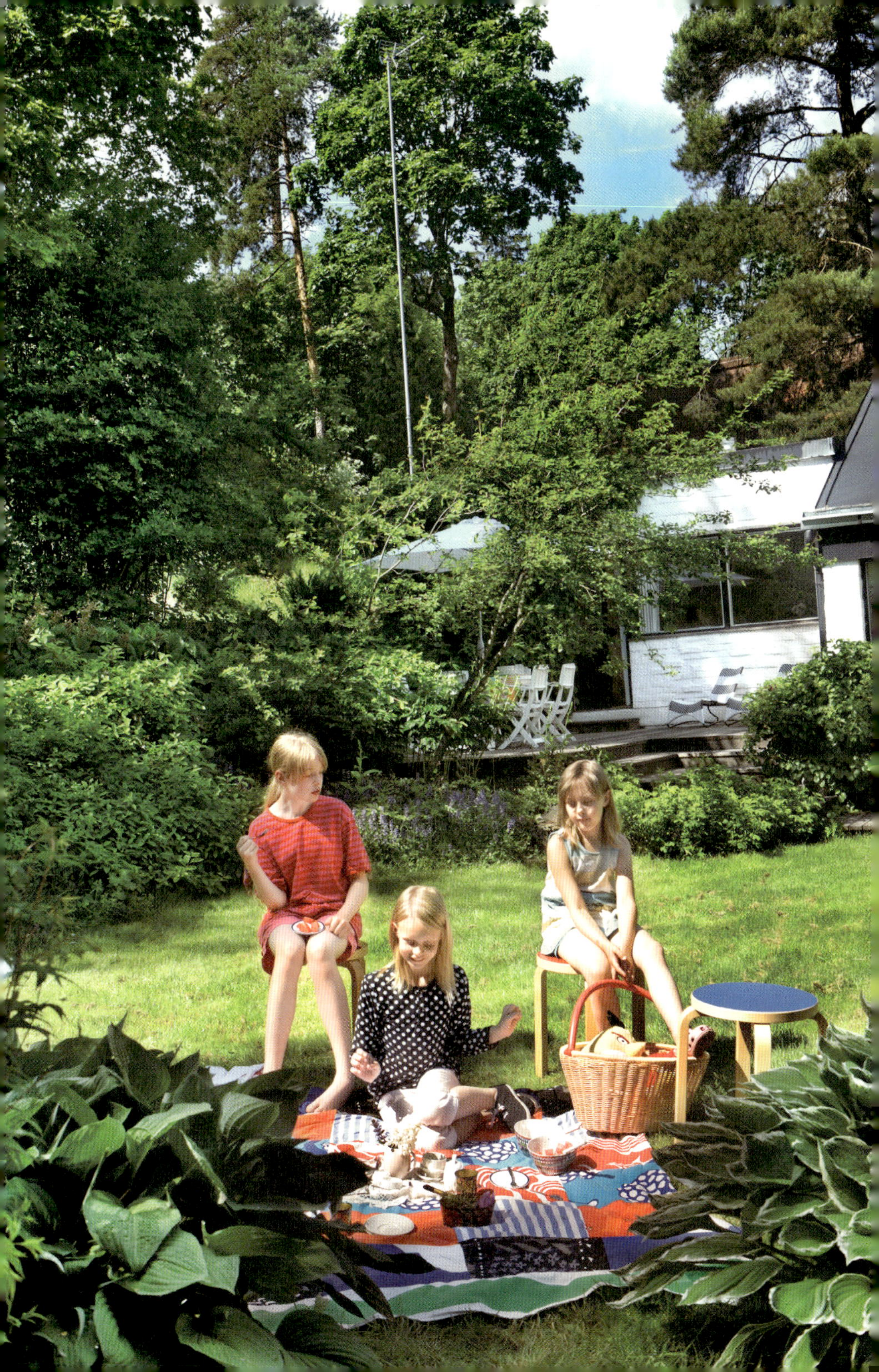

Riina and
Jussi Palva

リーナ&ユッシ・パルヴァ
architects

パルヴァ・ファミリーのコテージは森の中。
緑の向こうには、砂浜の小さなビーチがあり
海まで見渡せる、眺めのいい場所にあります。
コンパクトでも、家族4人が過ごせるコテージは
建築家のリーナさんとユッシさんがデザイン。
ここでは、街中にいることも忘れてしまうし
釣りをしたり、木登りしたり、草花や虫と出会ったり
家族みんなで、なかよく過ごすのに、ぴったり。
森と海がすべて、子どもたちの遊び場所です。

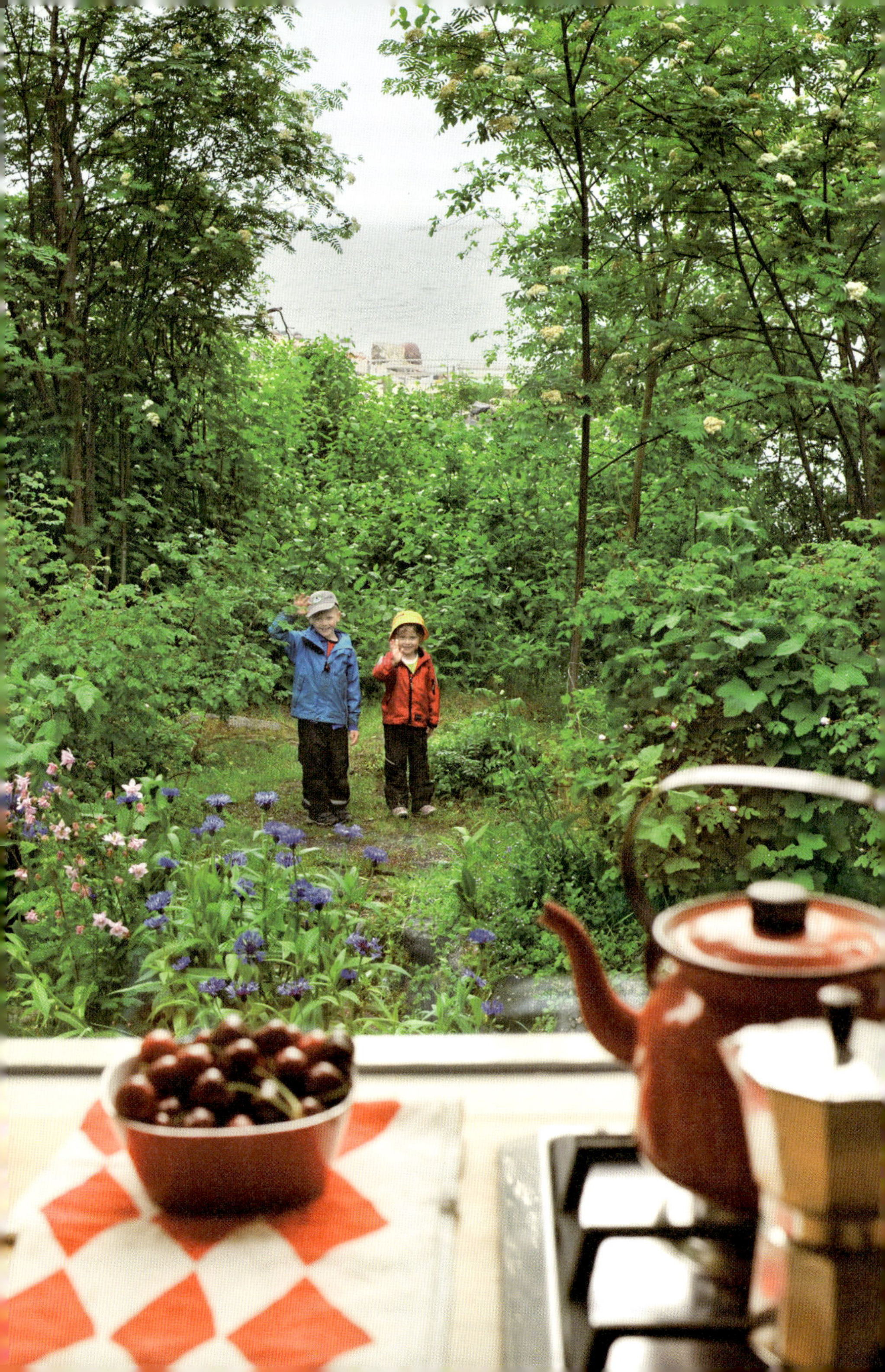

コテージのまわりを包みこむ、森と海が家族のお庭

ヘルシンキの西の端にある、大きな島ラウッタサーリ。古くから市が所有している南西端の自然公園内に、コテージを建てたリーナさんとユッシさん。ふたりが友だちと一緒に立ち上げた建築事務所ヴェルスタス・アーキテクツは、若手の建築家の中でも世界的に注目を集めています。このワンルーム・コテージも、もちろん彼らのデザイン。キッチンとエントランスを一体化させ、一段あがった畳敷きのフロアをくつろぎの空間に。市は園内を自然の森に戻そうとしているので、植物を自由に植えることはできませんが、雄大な公園がすべて、自分たちのお庭です。

上：コテージの広さは14㎡。いちばん奥に設置したソファーは、夜はベッドになります。床暖房の入った畳で、肌寒い時期もあったか。**左下**：ウッドボックスに植えた、パンジー。**右下**：地面に植物を植えることができないので、ローズマリーやミントなどお料理に使うハーブをプランターに植えて楽しみます。

上：コテージ正面のカウンターは、キッチンになっていて、お料理しながら素敵な眺めが楽しめます。広々としたカウンターは、子どもたちが宿題をするデスク代わりにも。**中**：黒いマットのソファーベッドにあわせて、マリメッコのクッションをコーディネート。**左下**：リーナさんが集めているアラビアのカップ＆ソーサー「アルッキクッピ」。**中下＆右下**：今日の子どもたちのおやつはチェリー。マリメッコのクロスの上に、どんどん軸が並びます。

左上：リーナさんとアンニちゃんで、ハーブの植え替え。右上：コテージ裏の小窓には、目隠しのカーテンをかけて。右中：雨が降り出したので、レインブーツを用意。左下：この湾に自生しているチャイブの花。イラリくんとアンニちゃんが「食べられるんだよ」と教えてくれました。右下：コテージのまわりには、かわいらしい自然の草花がたくさん。

左上：コテージから5分も歩くと、雄大なバルト海の景色が目の前に。この日はあいにくのお天気でしたが、手づくりの船を浮かべにやってきました。右上：松の木の皮を船体に、すずらんの葉っぱで帆を作った、手づくりの船。ユッシさんが作り方を教えてから、子どもたちの大好きな遊びのひとつに。下：無事に波に乗って、沖のほうまで流れていくイラリくんとアンニちゃんの船。

Saara Lehtonen

サーラ・レヒトネン
blacksmith / jewellery designer

　木々に囲まれた、白い砂石の小道を入っていくと
大きな黄色い一軒家、ヴィラ・カウリラがあります。
住宅の中を3軒にわけて、お母さんのソフィアさんと
娘のサーラさん、アンナさん一家が暮らしています。
　フィンランド各地から集めた、古い建物と
広々としたお庭は、まるで屋外ミュージアムのよう。
ねこに犬、うさぎやにわとりも、ここで暮らす家族。
今日は、サーラさんが焼いたルバーブパイを囲んで
みんなで、お庭のティータイムを楽しみます。

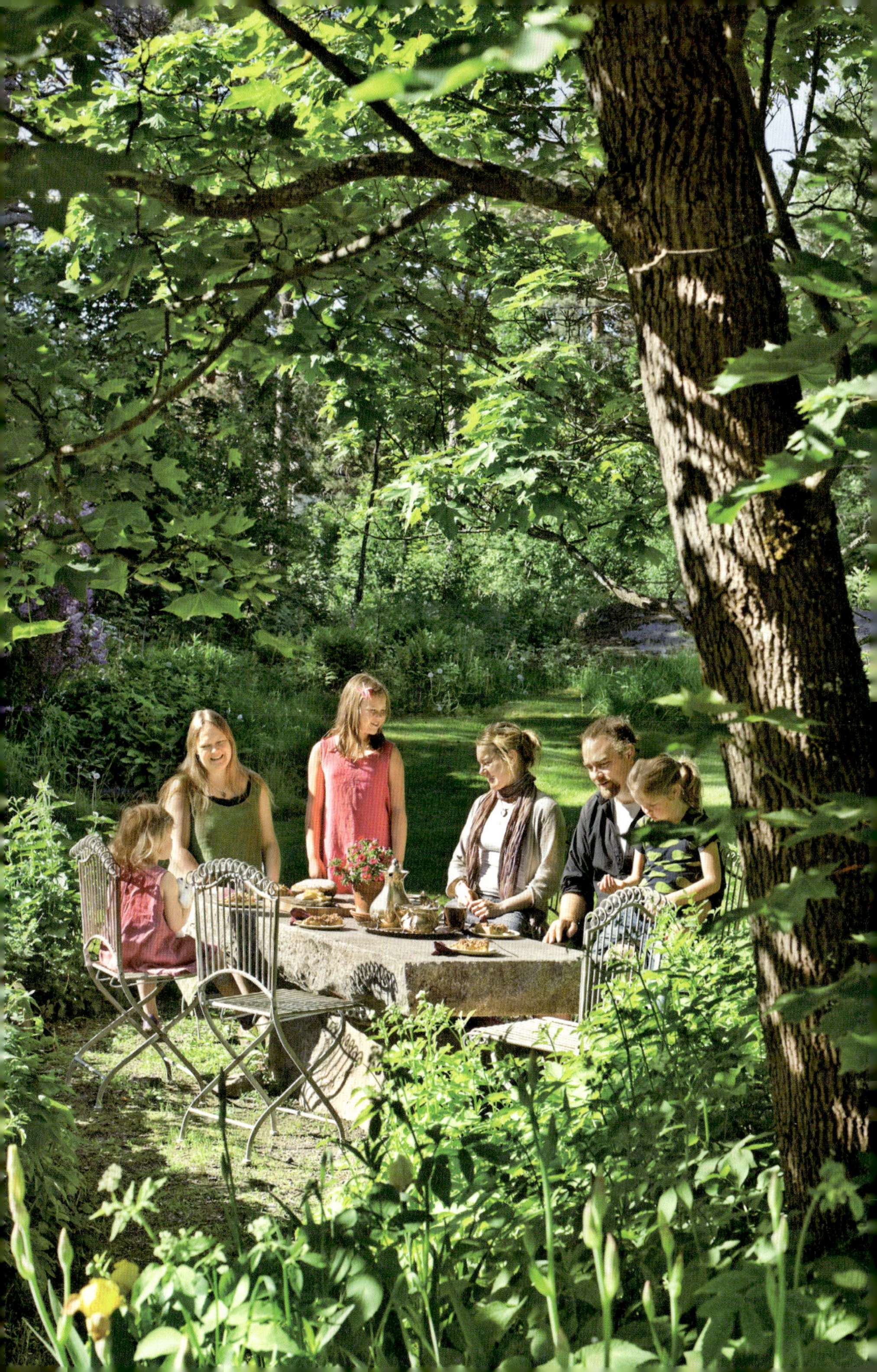

木造のおうちもお庭の植物も、古いものを大切に育てて

大家族が暮らすメイラフティは、海辺の別荘地として親しまれていた小さな半島。ヴィラ・カウリラは、フィンランド極東のトホマヤルヴィの村にあった100年以上前の建物です。温室もサウナ小屋も、ソフィアさんが探し出した古い建物を、地方から移築してきたもの。そんな歴史的な建物をぐるりと囲むお庭は、3500㎡という広大さ！ メタルを素材にしたアーティストでジュエリーも手がけるサーラさんが、お庭の手入れをしています。ジャングルのようだった場所も、いまは見違えるように変身。アンナさんの子どもたちも安心して遊べる、気持ちのいいお庭になりました。

ヴィラ・カウリラの前に広がるお庭では、100年以上の樹齢だという大きなライラックの木がいま花盛り。その前で、アンナさんの娘ヴィルヤちゃんと、ねこのカッテン・オックサが遊んでいます。

左上：ヴィルヘルミーナちゃんが乗るぶらんこは、お兄ちゃんのヴィルホくんの誕生日プレゼント。**右上**：犬たちとも仲よしのキスキス。**右中**：ライオン・ハンターとして知られる犬種ローデシアン・リッジバックの親子ドリスとアイリス。アイアンの花のドアは、サーラさん作。**左下**：手づくりルバーブパイに、バニラアイスと庭でとれた花を添えて。**右下**：アンナさんと子どもたち、そしてサーラさん。

上：家庭菜園にしている温室は、ソフィアさんとサーラさんで、2006年に移築してきた建物。窓はテキスタイル工場で使われていたもの。**左中**：カッテン・オックサの娘、ヒンデルスナスヴァゲン・ニウは温室がお気に入りの場所。**左下**：王冠型のプランターカバーの中では、サーラさんのボーイフレンドが大好きなチリを育てているところ。**右下**：ヴィルホくんが水やりをお手伝い。

裏庭にあった、大きな岩を利用して作ったプール。岩をよく洗って水を張るのが、春のお楽しみ。子どもたちも大人も水泳が大好きで、秋に霜が降りはじめても泳ぎます。

左上：サーラさんが手がけるPunsseliのシルバージュエリーは、住まいの中に設けたアトリエから生まれます。ミッドサマーローズをいけたガラス瓶に、ネックレスをディスプレイ。右上：小屋の入り口で頭を打たないように、羊の首につける小さなベルを吊り下げて。右中：天然石のブレスレットもサーラさん作。下：アイリスやルピナス、オリエンタル・ポピーなどを植えた裏庭の円型花壇。

上：南フィンランドのトゥースラにあった木造の家を移築して作ったサウナは、メールで予約を受け付けて貸し出しています。中：室内にはキッチンやダイニング、ベッドも用意されているので、ゆっくりとサウナを楽しむことができます。左下：ハンドメイドのタオル用のヘンプを紡ぐ紡績機。中下：サーラさん手づくりの抗菌性のあるヘンプ・タオル。右下：小屋の外のテラスに飾られていたレリーフは、サーラさん作。

Heta and
Tuija Kuchka

ヘタ&トゥイヤ・クチュカ
artist and gallerist

さまざまな色や形の葉っぱが重なって生まれる
緑の屋根の下は、夏のダイニングルーム。
トマトやラディッシュ、レッドオニオンなど
新鮮な野菜に、トナカイのキッシュとサーモン。
ヘタさんが準備したお料理をいただきます。
お母さんのトゥイヤさんと一緒に庭づくりをして
小さなものに気を配り、感謝することを学んだそう。
それはアーティストとしても、貴重な経験。
秘密の庭園で過ごす時間を大切にしています。

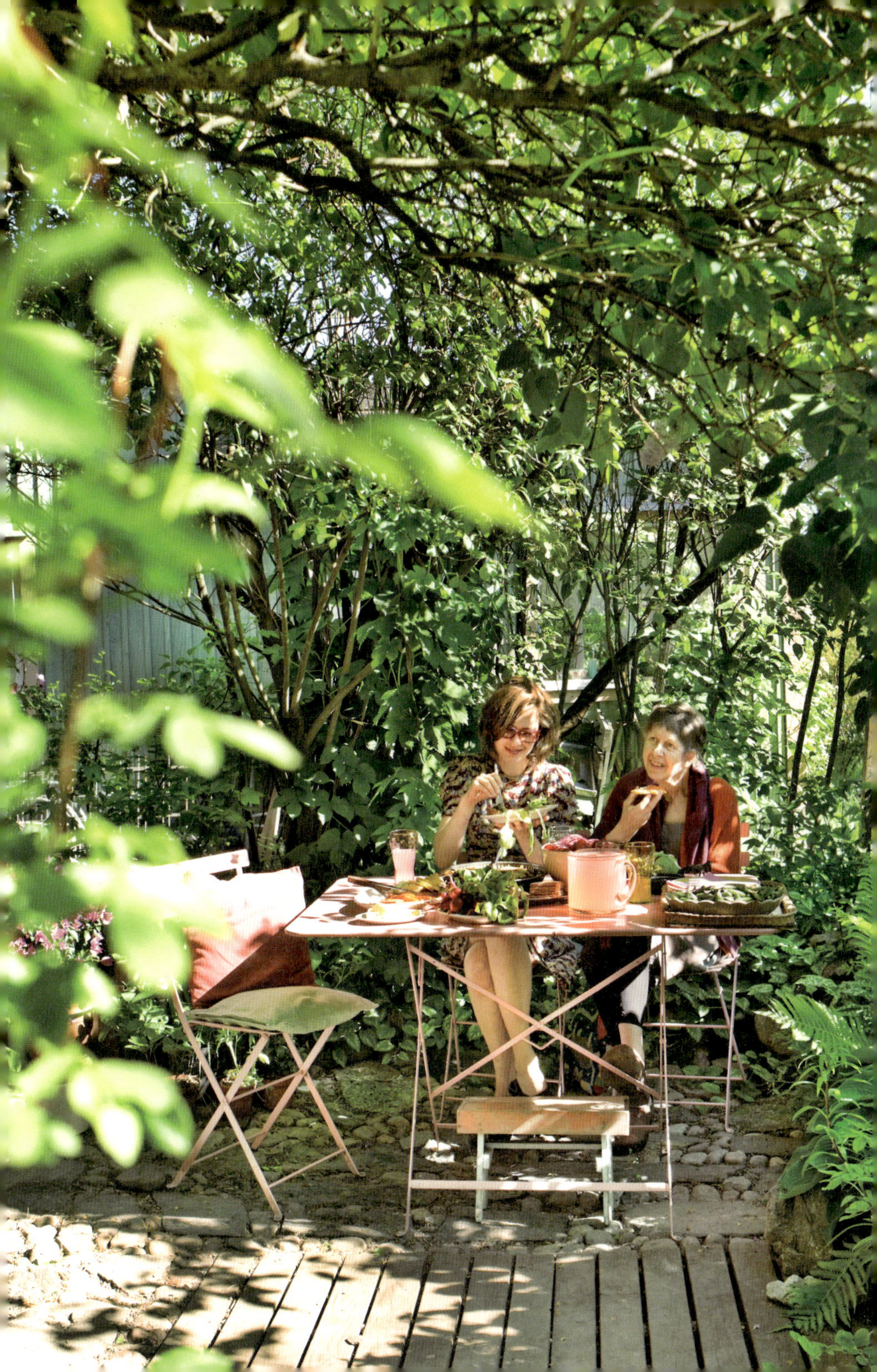

しゃくやくの小道の先、緑のトンネルに隠された秘密のお庭

映像や写真を使ったヴィジュアル作品を発表するアーティストのヘタさんと、ヘルシンキ・シティ・アート・ミュージアムのギャラリーを運営していたトゥイヤさん。ふたりはパキラ市民農園に、コテージ付きのお庭を持っています。丘のてっぺんに立つコテージに向かって、斜面になっているお庭は、たくさんの緑におおわれていて、入り口から中の様子がうかがえないほど。こくこくと変わっていく太陽の光や、雨にぬれた石ひとつひとつの色の違いを眺めたり、静かに考え事をしたり。植物たちを自由にさせたワイルドなお庭は、ふたりの秘密の隠れ場所です。

左上：コテージの脇にあるテラスの石畳は、トゥイヤさんの息子さんが作ってくれたもの。お庭で食事をしていると、ふたりが飼っている3匹のねこたちも集まってきます。右上：ヘタさんが手がけたビデオ・インスタレーション「イン・メモリー・オブ」とともに発表したカタログ。

左上：トゥイヤさんお気に入りのバラに囲まれた、ロマンチックなテーブル・コーナー。右上：ねこたちはみんな引き取ってきた子ばかり。右中：婚約したばかりのヘタさん。プロポーズされたときに座っていた、このイスのことを「ラブ・エナジー・チェア」と呼んでいます。左下：いちごたっぷり、ホームメイドのパブロワ・ケーキ。右下：農園の風景を描いたタペストリー・コレクション。

Leena Yli-Lonttinen and Raimo Teränne

レーナ・ユリ＝ロンッティネン＆ライモ・テランネ
architects

まるで北欧のおとぎ話から飛び出してきたかのような
白いフレームの小さな窓が並ぶ、赤い一軒家。
りんごの木に、緑の芝生、しゃくなげのピンクが
レーナさんとライモさんのおうちを囲みます。
ふたりで手を取りあって、お散歩しながら
裏庭にある、ライラックの小屋まで。
木々がぐるりと包みこむ、心地よいテラスで
そよそよと葉っぱのざわめきを聞きながら
ふたりのおだやかな時間が流れていきます。

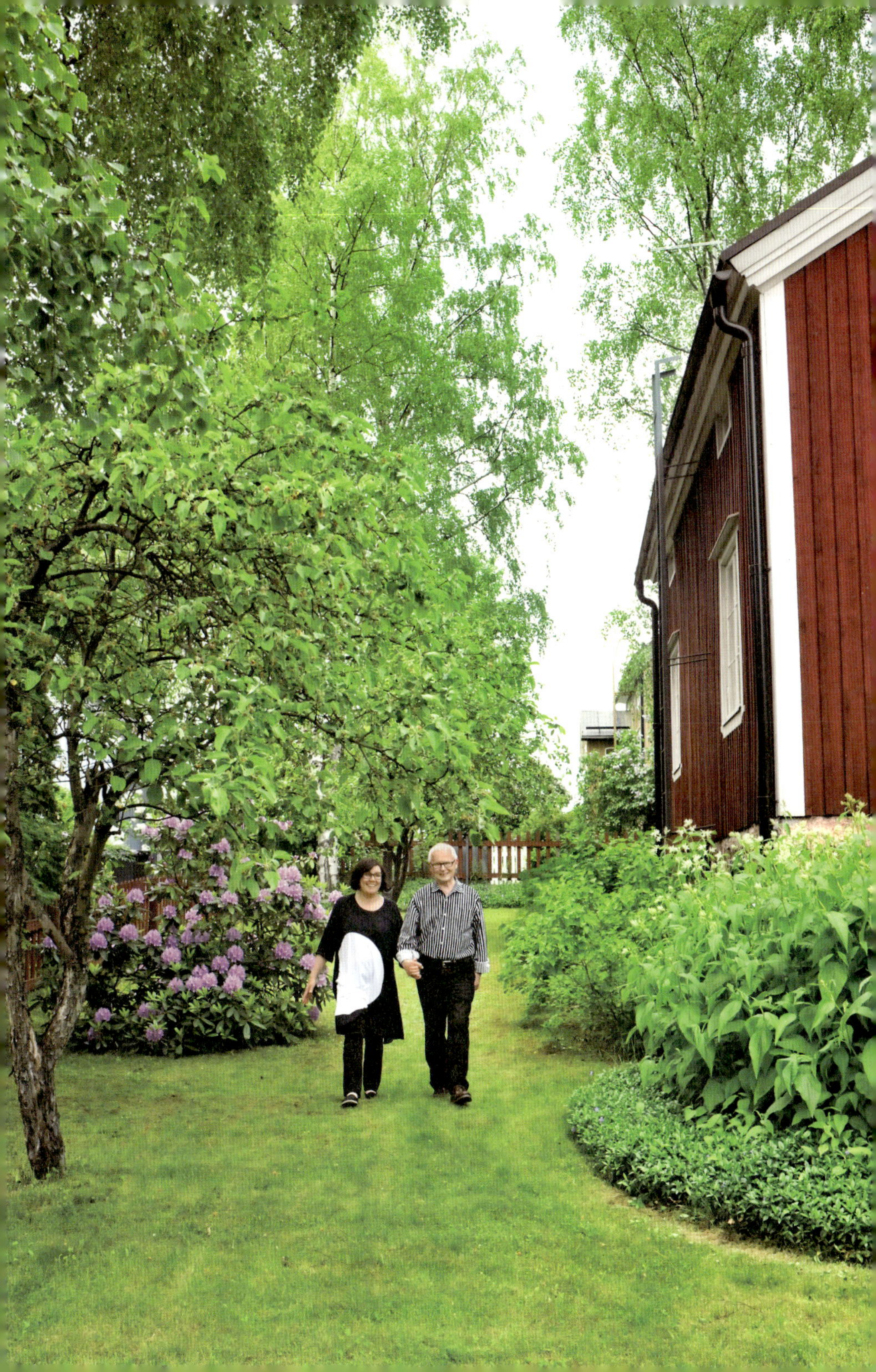

ライラックのコテージの中に流れる、おだやかな時間

建築家のレーナさんとライモさんが暮らす西カピュラは、1920年代の建物が多い住宅地。当時この地域のために家を設計する建築家が少なかったために、同じようなデザインの家が並んでいます。ふたりの住まいは1924年築。家のまわりを包むように芝生が広がり、広々とした裏庭へと続きます。裏庭の中心は、大きなナシの木とライラックの木が囲む、自然のコテージ。その中は日よけのパラソルが立てられたウッドデッキ・テラスになっていて、ふたりのお気に入りの場所です。レーナさんは青と白の花が好き。春になるとライモさんが青いスミレを買ってきてくれます。

左上：ライラックの小屋は、その昔フィンランドのお庭によく作られていたもの。その中にレーナさんとライモさんは、ウッドデッキ・テラスを作りました。右上：マリメッコのシャツとワンピースでコーディネートしていた、仲睦まじいふたり。右下：家のそばの花壇では、アイリスが咲きはじめたところ。

上：まだ幼いライラックの木にも、たくさんの花がついています。**中**：ダイニングテーブルにはマリメッコのクロスを広げて。白ワインで「キッピス！」。**左下**：バーベキューコンロでサーモンを焼くときは、ひっくり返さないのがふっくらと仕上げるコツ。**中下**：まだ日が落ちない夏の夕暮れに、ワインを傾けながらおしゃべり。**右下**：たっぷりと花を咲かせる、大きく育ったしゃくなげの木。

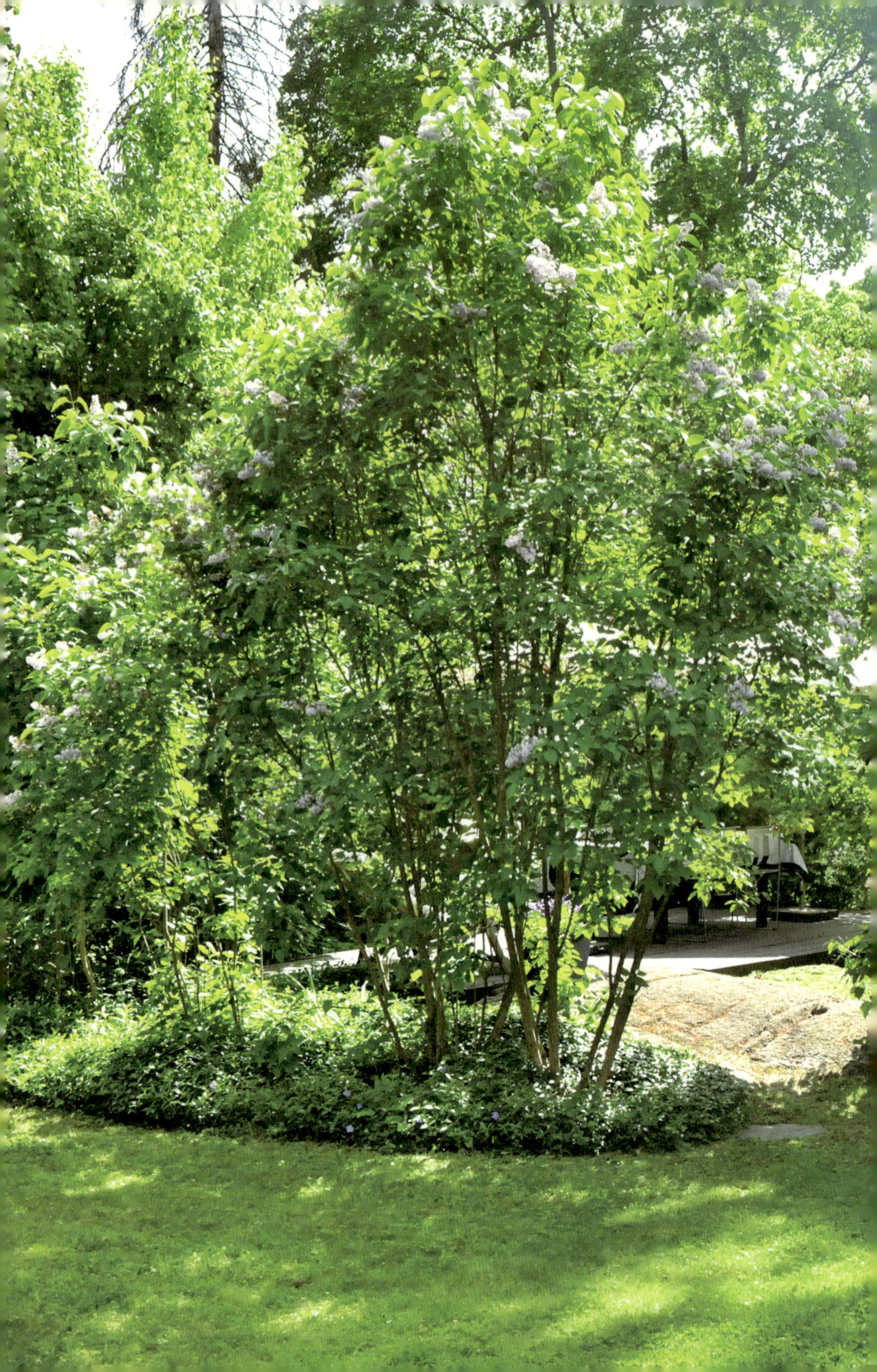

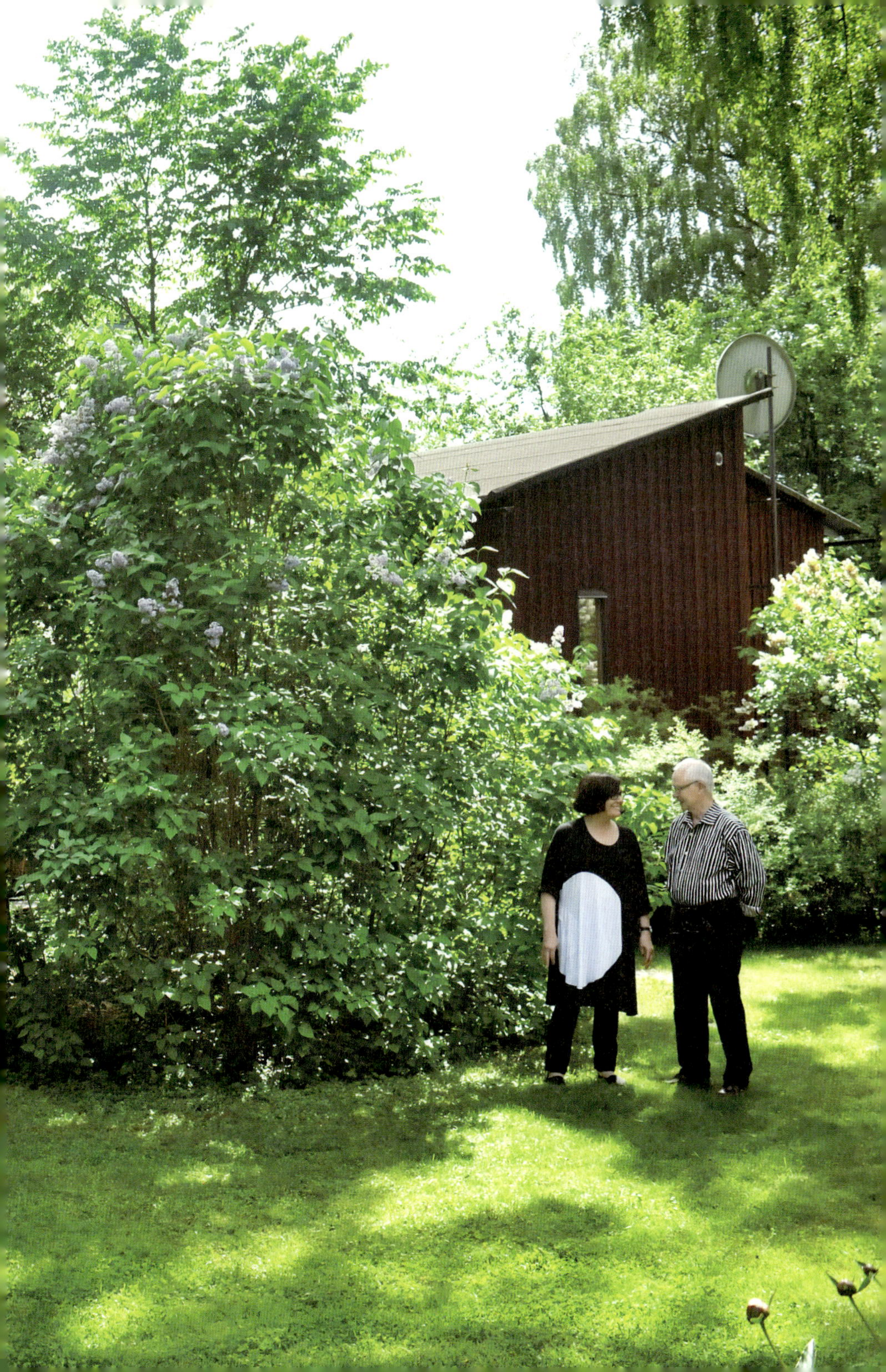

Porvoo Guide

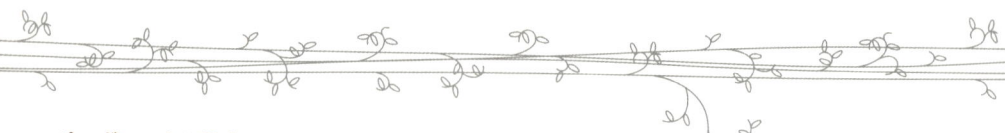

ポルヴォーをお散歩しよう
Walking around Porvoo

フィンランドで2番めに古い街として知られるポルヴォー。ヘルシンキから長距離バスで1時間程度で、歴史ある美しい街並に到着します。14世紀から残るという旧市街は、坂の多いエリア。石畳の通り沿いに、パステルカラーの木造の建物が並びます。小さなお店やカフェ、市営のミュージアムをのぞきながら、お散歩しましょう。

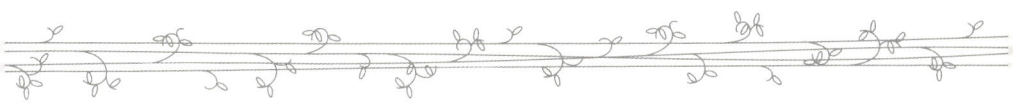

デザイン・デリ
Design Deli
Jokikatu 41
kauppa.designdeli.fi

旧市街の中、かわいらしいショップが集まる通りで見つけたデザイン・デリは、ポルヴォーを中心に、フィンランドのアーティストたちが手がけた雑貨を扱うデザインショップ。

ポルヴォー大聖堂
Porvoo Cathedral
Kirkkotori 1

旧市街の中心部に建つポルヴォー大聖堂は、街の歴史とともにある建物。何度も火災に悩まされながらも、美しい姿を見せてくれています。

カフェ・ファニー
Café Fanny
Välikatu 13

旧市街の中心にある広場に面した、カフェ・ファニー。フィンランドの国民的詩人J.L.ルーネベリの名前がついた、ルーネベリタルトもいただけます。

Porvoo Guide

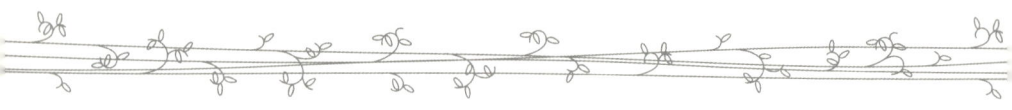

ルーネベリ公園
Runeberg's Park

この街の誇りJ.L.ルーネベリの像が立つ緑の公園。ヘルシンキからの長距離バスが到着するバス停のすぐ近くなので、旅の疲れを癒すのにぴったりの場所。

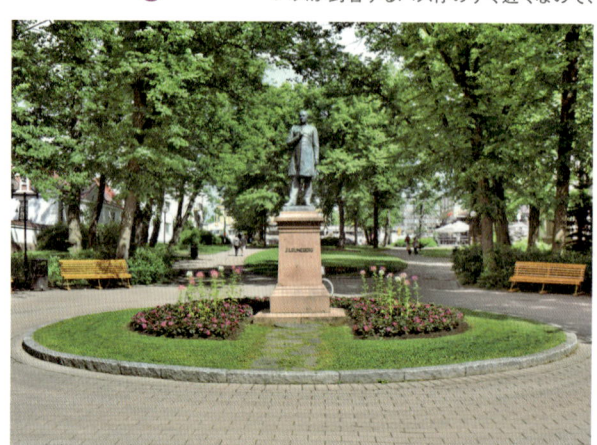

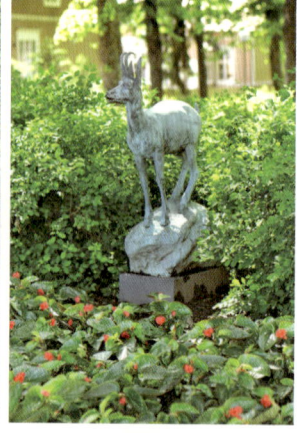

カフェ・カブリオレ
Café Cabriole
Piispankatu 3
www.cabriole.fi

ルーネベリ公園の横にあるカフェ・カブリオレ。アール・ヌーヴォー時代の建物は天井が高く、窓も大きいので、とても開放的な雰囲気。ホームメイドのお菓子が自慢で、ストロベリー・クリームケーキ、ベリーのパイなど季節のフルーツを使った品々が、毎日20種用意されています。夏は、公園側に用意されるテラス席がおすすめ。

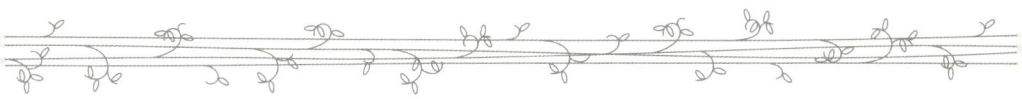

J.L・ルーネベリの家と庭園
J.L. Runeberg's home museum and garden
Aleksanterinkatu 3

フィンランドの国歌を作詞した国民的詩人J.L・ルーネベリは、奥さんでフィンランド初の女性ジャーナリストのフレドリカ、そして6人の息子たちと一緒にポルヴォーに暮らしていました。ルーネベリが亡くなって、わずか3年後の1870年に一般公開された、この家は家族の暮らしをそのまま伝えています。植物が大好きだったフレドリカの庭も、当時の庭師のメモに従って再現されました。

Petri Salmela

ペトリ・サルメラ
graphic designer

　ガーデニングは、自分のライフスタイルそのもの。
自然の一部になることと教えてくれたペトリさん。
「ここが、ぼくの家庭菜園だよ」と見せてくれたのは
丘のてっぺんに建つ、大きなログハウスの家から
ごつごつとした岩と草地の坂道をおりた、山すそ。
びっくりしてしまう立地と、広大さのお庭です。
岩を動かしては、積み上げてフェンスを作ったり
ねんどと砂、肥料を混ぜて、土づくりをしたり。
大きなチャレンジが、いま実りはじめています。

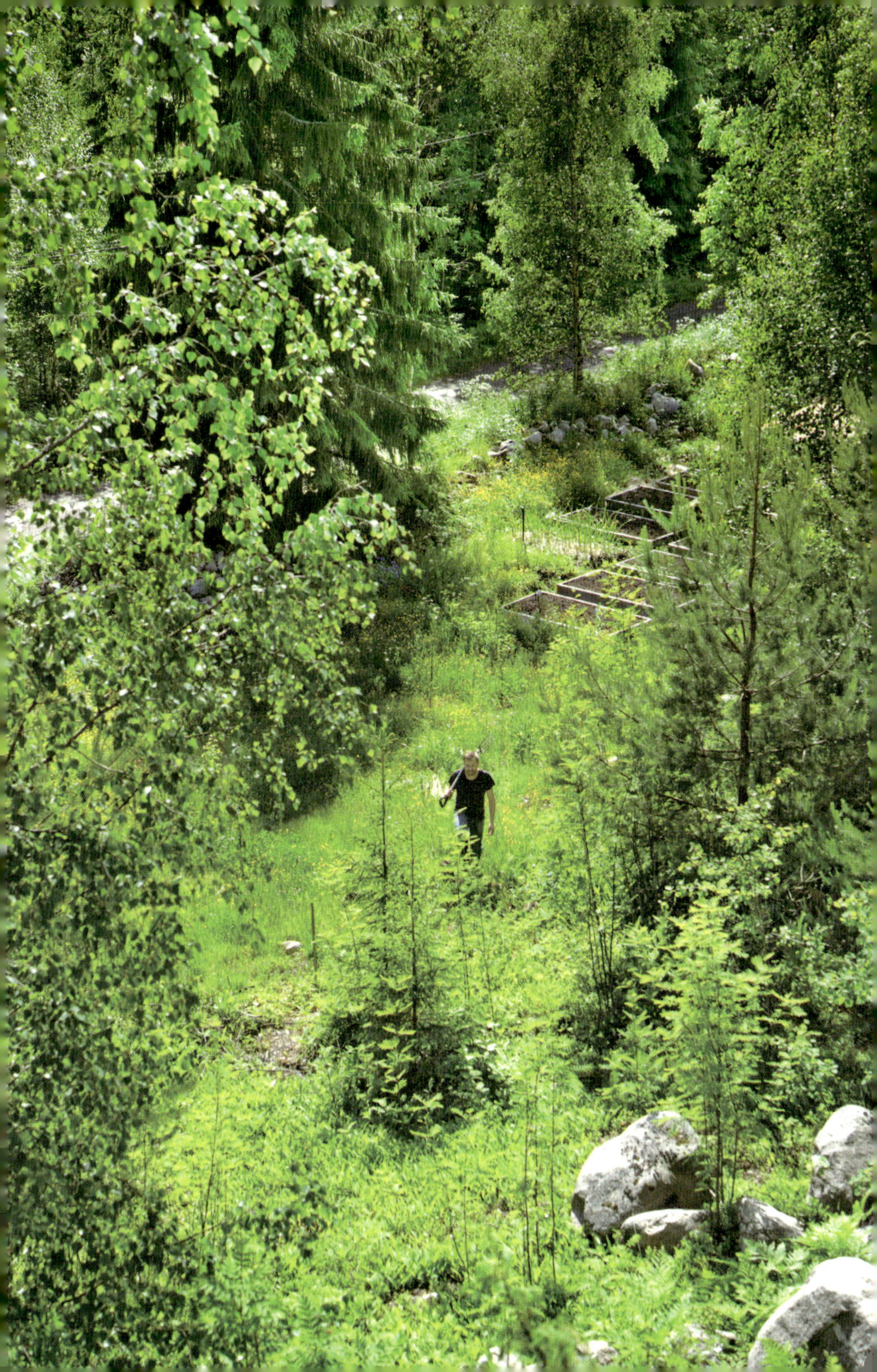

すべてを自分の手でつくる、すがすがしい山の菜園

グラフィックデザイナーのペトリさんは、数々の受賞歴があるデザイン事務所ドッグ・デザインを立ち上げた共同設立者。必要としているものを、すべて自分の手で作るという夢を持っていたペトリさん。2006年にヘルシンキから田舎への引っ越しを決意。ポルヴォーから車で15分ほどのサンナイネンに、友人の建築家アンダース・アドラークロイツさんの助けを借りて、モダンなログハウスを建てました。お庭を作りはじめて5年めに、はじめての収穫を迎えることができました。誕生日には自分で作った野菜でお祝いのディナーを用意、素敵な思い出の年になりました。

上：木のフレームで囲んだ畑の中で、野菜たちがそれぞれ芽吹いてきたところ。左下：環境にやさしい暮らしに努めているペトリさん。ガーデニング道具もリサイクルを心がけていて、冬のあいだ苗を育てる苗床に、牛乳パックを使っています。右下：種から育てたビートルート。

左上：娘のマウラちゃんのために植えたりんごの木は、太陽の光をいっぱいに浴びて、すくすくと大きく成長しています。**右中**：ガーデニング道具を入れたバスケットは、いつも畑に置いています。
左下：去年ペパーミントを植えたときに畑中に広がってしまったので、今年は植木鉢の中で育てています。**右下**：家とお庭のアイテムブランドKellilä のためにDog Designが手がけたブロック。

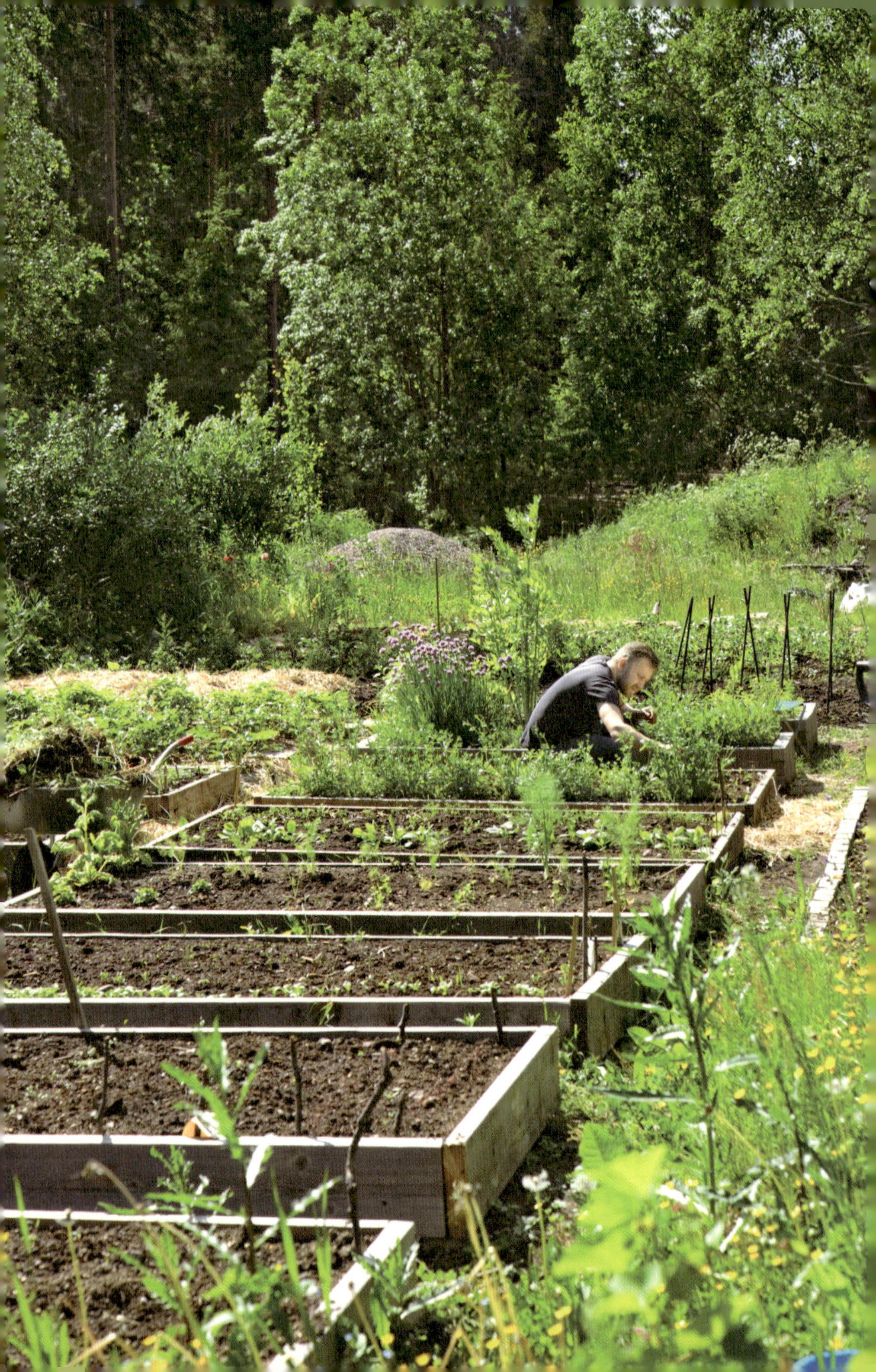

左上：家の中でいちばん日当りのいい窓に作った棚で、冬のあいだ苗を育てます。右上：今年はたくさん花を咲かせた、めずらしいサーモンレッド色のポピー。右中：ペトリさんの好きなライラックの花を、クリスマスに飲んだホットワインのボトルにさして。左下：森のきのこや畑のハーブがたくさんとれると、乾燥機を使って保存用に。右下：Dog Designがデザインしたハックマンの鍋。

Samu-Jussi Koski

サム゠ユッシ・コスキ
fashion designer

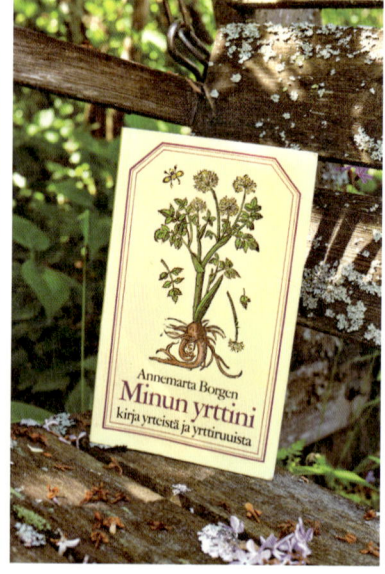

ポルヴォーの街から、素敵な田園風景の中を
ドライブしていくと、いつのまにか大きな島へ。
ヘルシンキから離れることを考えていた、
サム゠ユッシさんは、自然に囲まれる家を見て、
すぐに自分たちのための場所と感じました。
お庭をめぐりながら、まるで友だちのように
木々や花たちを紹介してくれるサム゠ユッシさん。
フィンランドの伝統や、家族との思い出
物語のある木や花々が家のまわりを飾ります。

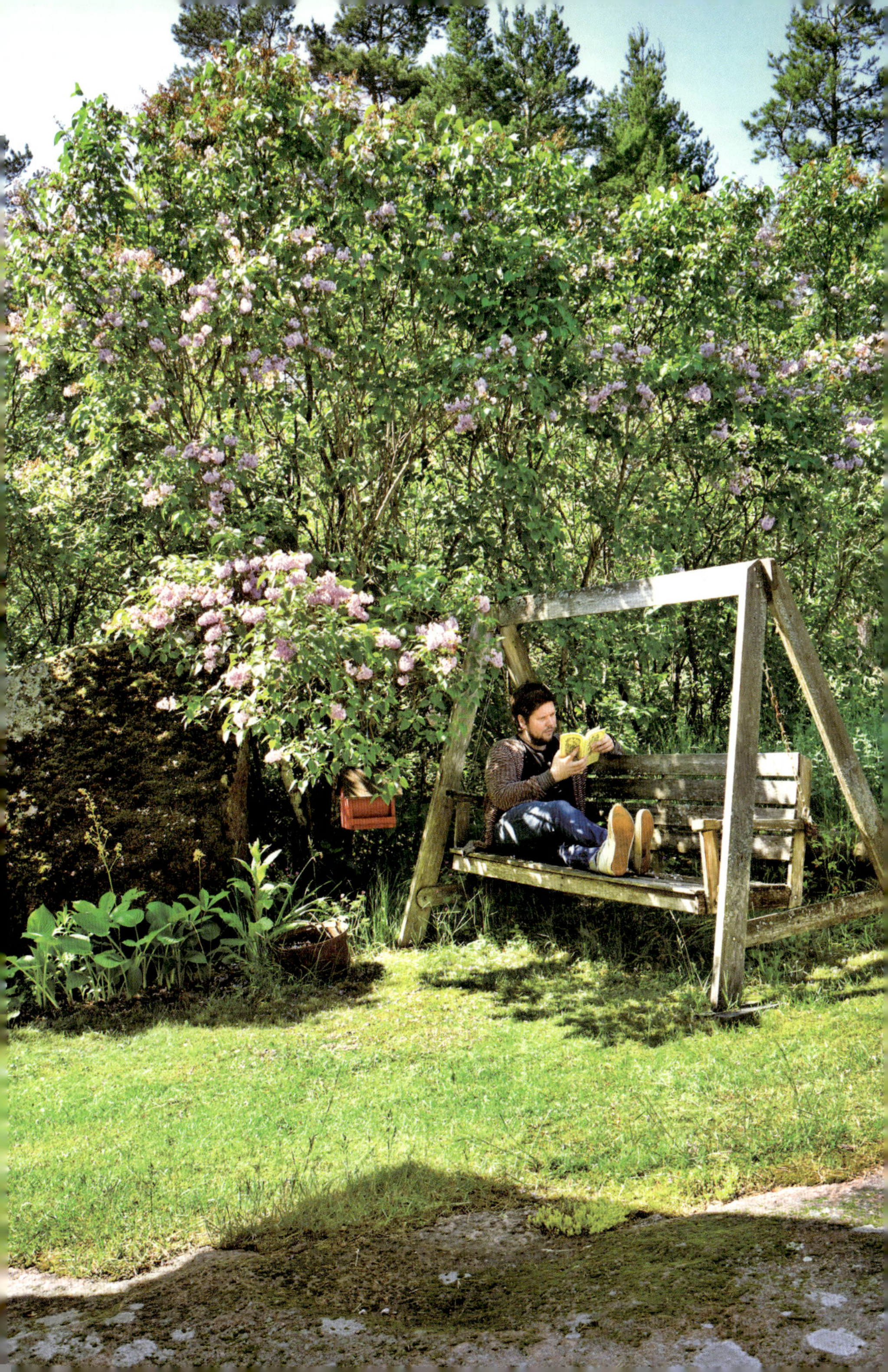

ガーデニングと庭で過ごす時間は、いちばんのリラックス

ずっと大切にしたくなるシンプルで美しいデザインのレディース・ブランド、サムイを立ち上げたサム＝ユッシさんは、フィンランドで注目されるファッションデザイナー。ボルヴォーの中でも、夏の避暑地として知られるヴェッソという島に暮らしています。1820年に建てられた家のまわりを、グレーの岩場と緑の草地が混ざりあう、5000㎡もの土地が囲みます。自然と植物が好きで、都会から田舎に引っ越してきた彼にとって、ここは理想的な場所。桜やりんごなどの木々のお世話に、野の花と多年草をあわせた花壇づくり、野菜やハーブの家庭菜園づくりを楽しんでいます。

左上：温室の中は、実り豊かなキッチンガーデン。レタスやラディッシュ、きゅうりやトマト、なす、それからメロンも育てています。右下：オレンジのツツジは、サム＝ユッシさんにいつもインスピレーションを与えてくれるおばあちゃんも育てていた花。

左上：春はスイセンが美しい花壇。夏も自然に生えてきた花たちが可憐な姿を見せます。**右上**：家を守ってくれる木を植えるという伝統に従って、両親からプレゼントされたスプルースの木。**左中**：サム=ユッシさんのブランドSamujiのコレクション・カタログ。**左下**：しっとりした口当たりのルバーブパイは、おばあちゃんに教えてもらったレシピで。**右下**：庭の花で作ったブーケを飾ってティータイム。

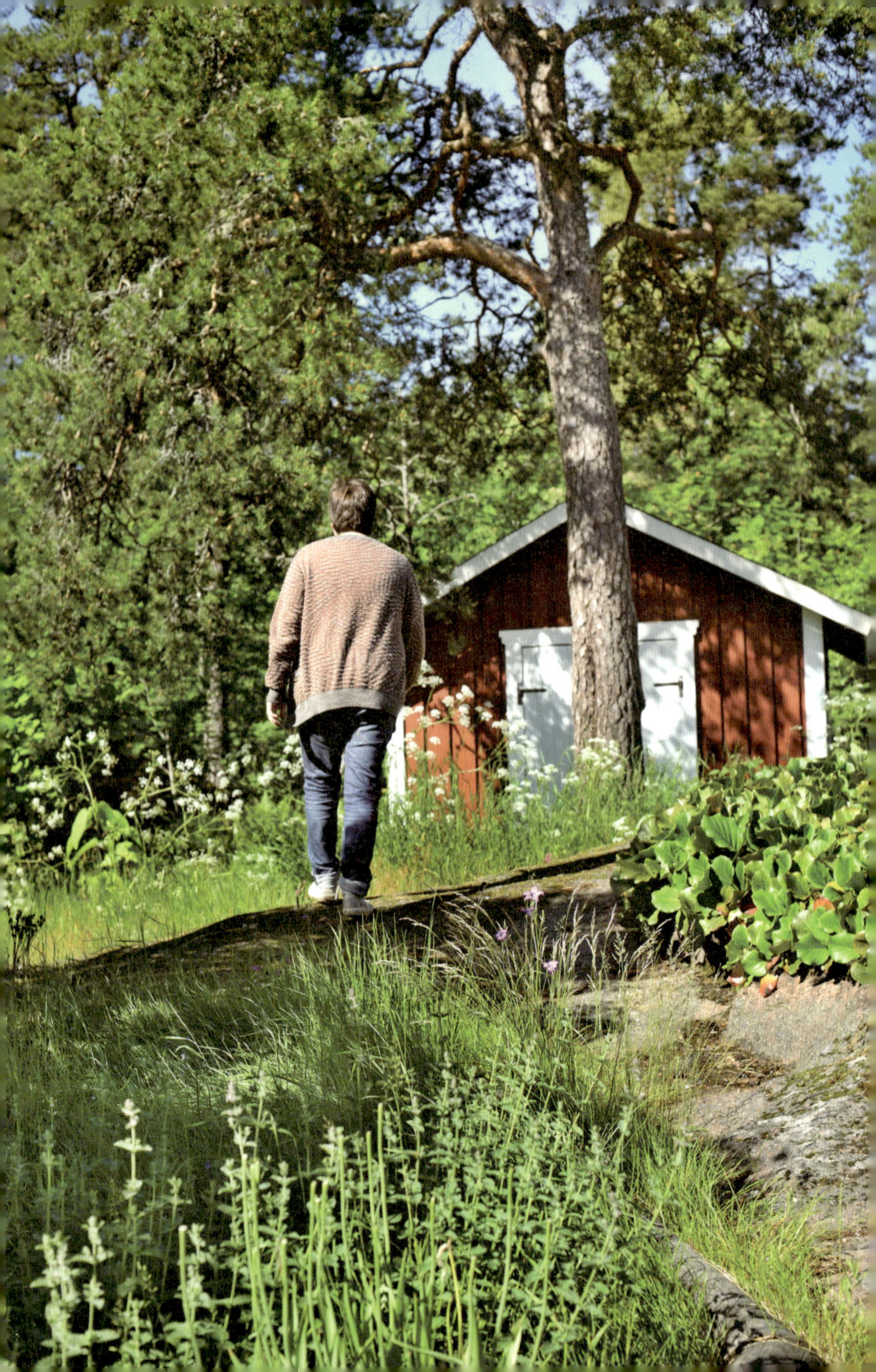

上：お庭の一角にあるサウナ小屋。サウナルームの小さな窓は、スモークの煤で真っ黒に。左下：冬の夜にサウナから家への帰り道を案内してくれるオイルランプ。右中：マリメッコで働いていたときに集めていたキャンドルホルダーを、リラックスルームに。右下：友だちのお父さんが、おじいさんに作ってもらったロッキングチェアは、長いあいだ人々に受けつがれて愛されてきたもの。

Suomenlinna Guide

世界遺産スオメンリンナをお散歩しよう
Walking around Suomenlinna

6つの島からなるスオメンリンナは、ユネスコの世界文化遺産に認定された美しい場所。1748年にバルト海を守る要塞として生まれた石壁や建物などを見学しながら、豊かな自然を感じることができます。フィンランドを代表する観光地としてツーリストはもちろん、散策やピクニックに地元の人々も多く遊びにやってきます。美術館やギャラリー、レストランなどもあるので、1日ゆっくり楽しんで！

マーケット広場のフェリー船乗り場。ここから15分でスオメンリンナへ。

アルティザン・サマー・ショップでは、島に暮らすアーティストたちの作品を扱っています。

船着き場からメイン通り沿いに歩いて5分ほどの距離にある、スオメンリンナ教会。

ピベールズ・パーク近くで行われていた、島の歴史を楽しく伝える演劇に子どもたちは夢中。

Suomenlinna Guide

岸辺まで花いっぱいの草原で、結婚式の記念写真を撮影するカップルと出会いました。

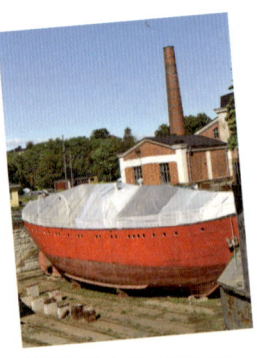

いまでも使われている世界でもっとも古いドライ・ドック。何隻もの船が休んでいます。

カフェ・ピペール
Café Piper

スシサーリ島の西岸近くにあるピペールズ・パークは、トネリコの木と100年以上前のリラの木に囲まれる英国式庭園。その小高い丘の上にあるカフェ・ピペールは夏期のみ営業しています。海風が気になる方は店内の席で、太陽を満喫したい方はテラスや屋外のガーデン・テーブルで、スープや軽食、お菓子などを楽しむことができます。

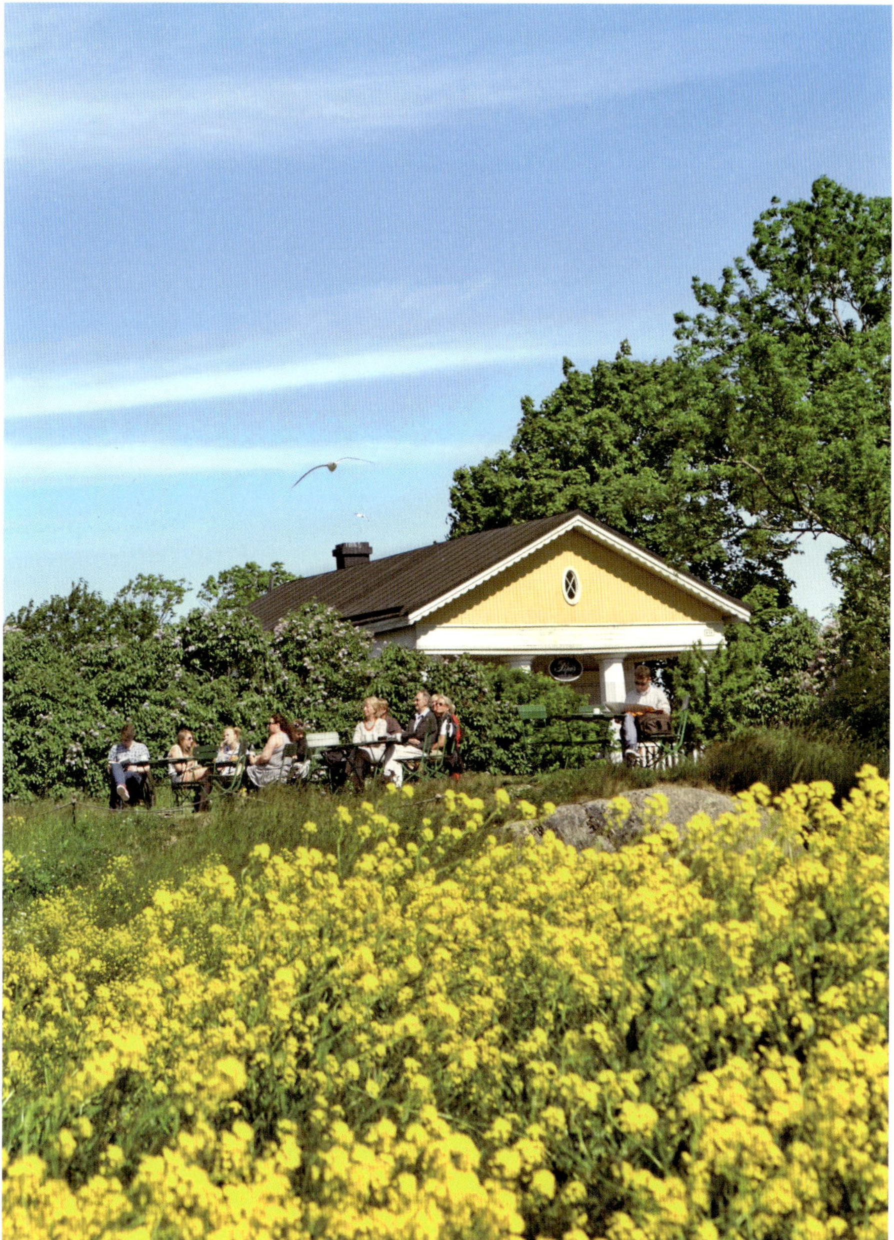

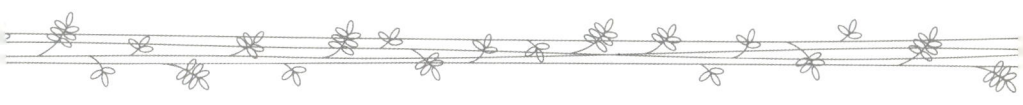

Rati and
Pekka Sihvonen

ラティ&ペッカ・シヒヴォネン

黄色いカーペットを敷いたような自然の花畑と
海が広がる、スオメンリンナの西端の島。
その昔に、要塞として使われていた壁を背景に
なだらかな丘になったお庭は、日当りもよく
草花や野菜を、潮風から守ってくれます。
ガーデニングが趣味のラティさんが、
ゼロから、少しずつ広げていったお庭を
撮影するのが、ペッカさんのお楽しみ。
月ごとに変わる表情を、写真におさめています。

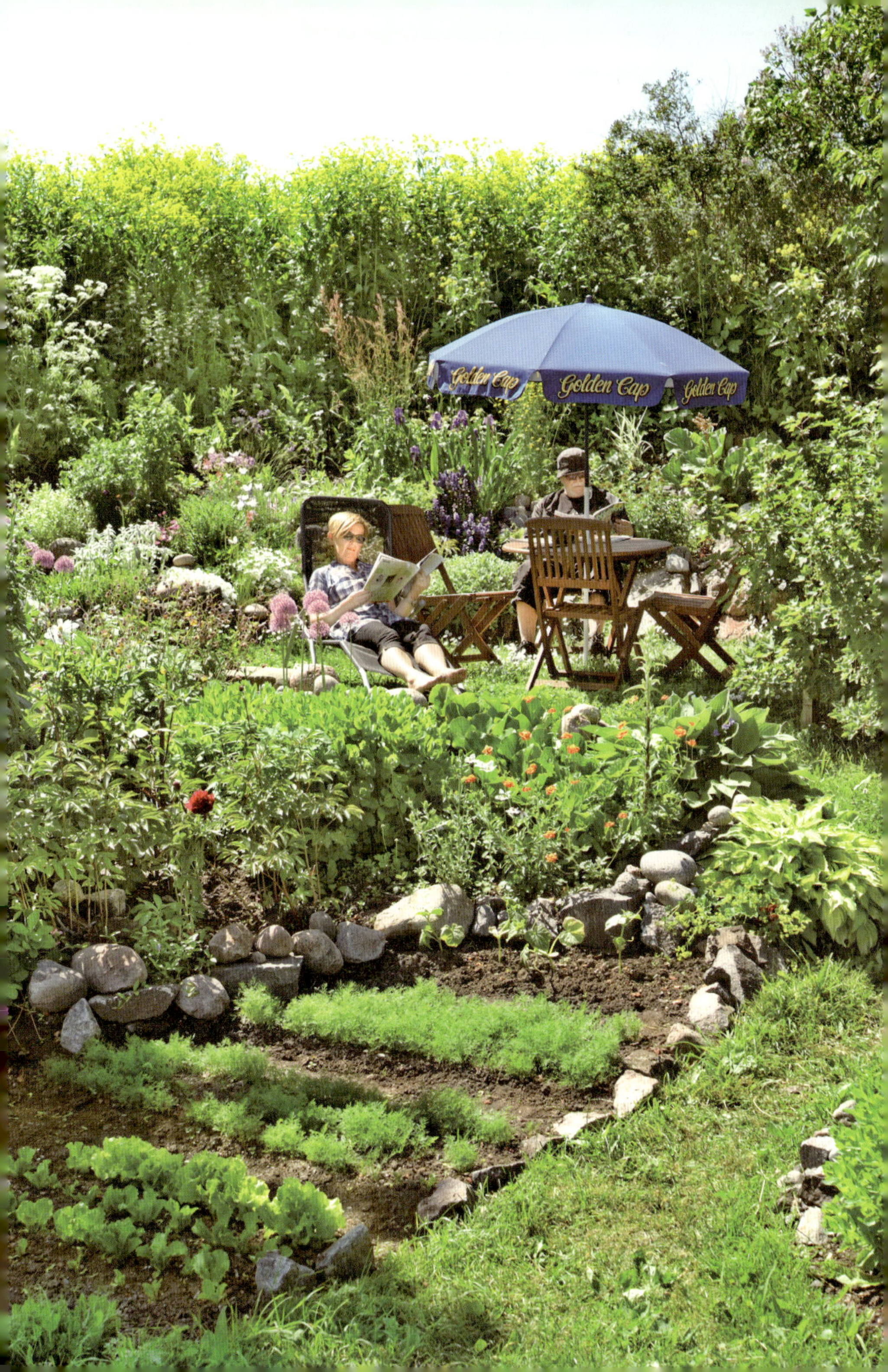
Golden Cap
Golden Cap
Golden Cap

お庭で過ごす時間は、ふたりのなによりのぜいたく

スオメンリンナのアパルトマンに暮らす、ラティさんとペッカさん。ちょうどリビングの窓から見える、お庭の中腹にガーデンテーブルを置いています。夏のあいだは、ここで朝のコーヒーやランチを楽しんだり、読書をしたり、お庭がもうひとつのリビングになります。2年前から、庭づくりをはじめたラティさん。土の中に埋まった、れんがや陶器、鉄の破片を掘り起こしながら、環境を整えていきました。小さな花壇が、いまでは大きなフラワーガーデンに成長。丘のふもとには、夏のあいだにふたりが食べる野菜がじゅうぶんに収穫できる、家庭菜園もあります。

左上：石を積み上げて作ったかまどに、四角いスモーカーをかけて、サーモンやバーチなどの魚を薫製にします。右上：毎朝ジョギングが日課というラティさん。走りながらも素敵な石を見つけると、お庭に持って帰るのだそう。右下：土の中に埋まっていた大きな石をきれいに並べて、花壇のフレームに。

上：黄色い菜の花の背面が、要塞の石壁になっています。海から見たときに自然の景観を損ねないよう、壁よりも低い位置までしか植物を育てることができません。左下：ズッキーニを、畑に植え替え。今年の春は寒さが続いたので、苗がなかなか大きくならなかったのだそう。右中：土の中から出てきた、さびついた鉄や陶器のかけらは、小さな宝物。右下：観賞用ストロベリーのピンクの花。

Eeva-Kaisa and Taneli Ratas

エーヴァ=カイサ&タネリ・ラタス
project assistant and luthier

　　　はじめてのデートで、スオメンリンナを訪れた
　　　エーヴァ=カイサさんとタネリさんカップル。
　　そのときは、島で暮らすと思っていなかったけれど
　　きれいな海が見渡せる、お気に入りの場所がある
　　　この島から、いまは離れたくないと思っています。
　　　ふたりのお庭は、要塞の建物の雰囲気を伝える
　　　さまざまな色あいの石が積まれた、石壁の前。
　　　スオメンリンナの初夏を、愛らしくいろどる
　　　　黄色の菜の花で、ブーケを作りました。

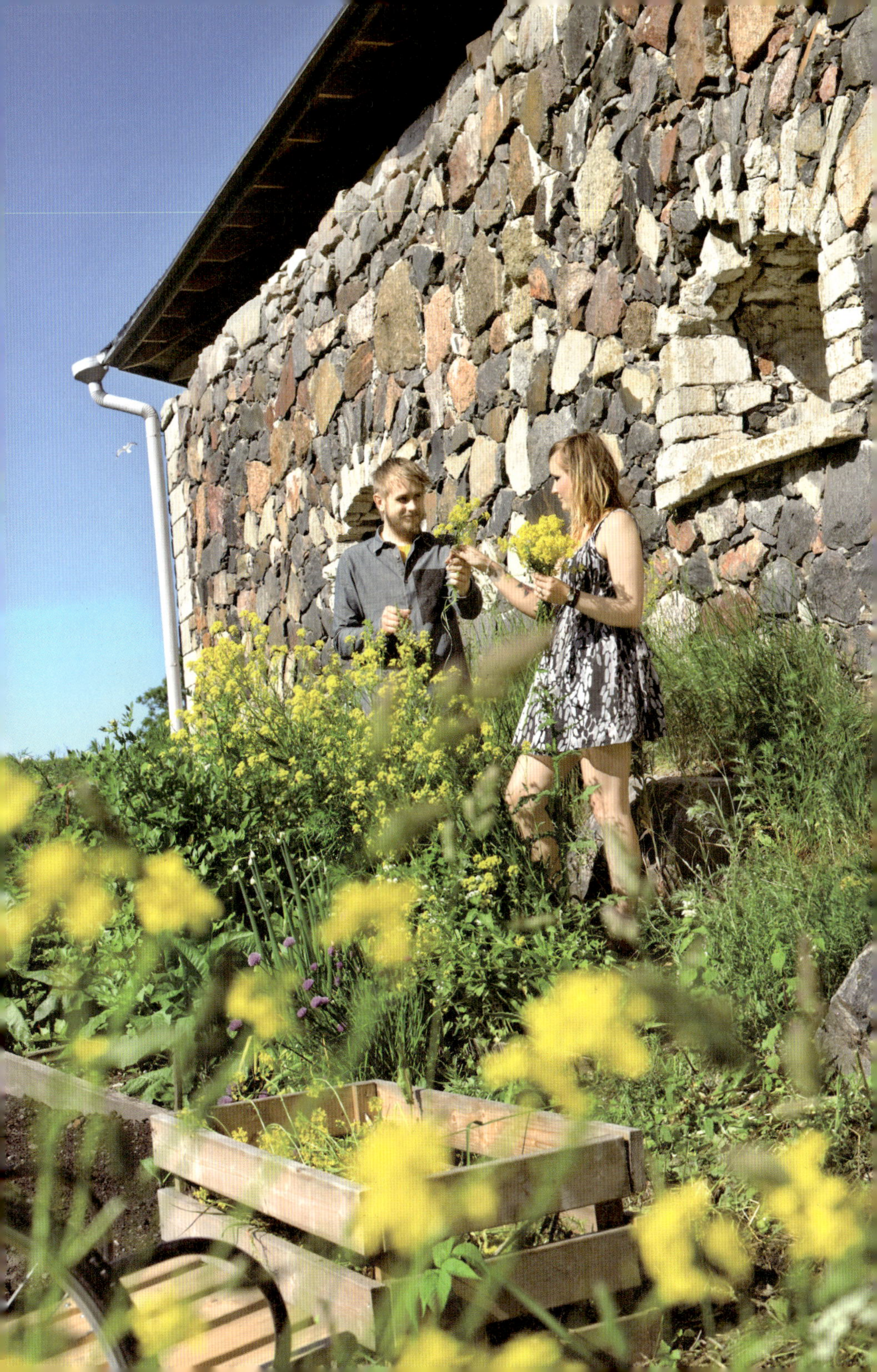

ふたりで育てたおいしい野菜が、いちばんのごちそう

エーヴァ＝カイサさんは、広告代理店のプロジェクトアシスタント。タネリさんはギターなどの弦楽器を製作する職人で、軍のオーケストラバンドの楽器の管理もしています。タネリさんの仕事がら、軍の施設があるスオメンリンナに暮らすことにしたふたり。20から30の区画に分けられた、島の住民たちの共同庭園に家庭菜園を持っています。ベジタリアンのエーヴァ＝カイサさんにとって、野菜はとても大切なもの。レタスやかぼちゃ、にんじん、たまねぎ、そらまめなど、さまざまな種類を育てているふたり。自分たちが食べるものを作る楽しさを、分かちあっています。

左上：水場が近くにあるので収穫した野菜を洗って、持って帰ることができます。右上：ほぼ毎日のようにやってきて、手入れをするというふたり。エーヴァ＝カイサさんのお姉さん夫婦も島に暮らしているので、みんなでお世話をしています。右下：お姉さんの暮らすアパルトマンの裏庭で見つけたオレガノ。

上：人の手で築かれた石壁と自然の緑がおりなす美しいコントラストは、スオメンリンナらしい風景。中：エーヴァ＝カイサさんお気に入りのそらまめも、すくすくと育っています。左下：お父さんに種を譲ってもらった、ウィンター・ガーリック。中下：サニーレタスも少しずつ大きくなってきています。右下：じゅうぶんな大きさに育っていそうなラディッシュを、掘り出して見せてくれました。

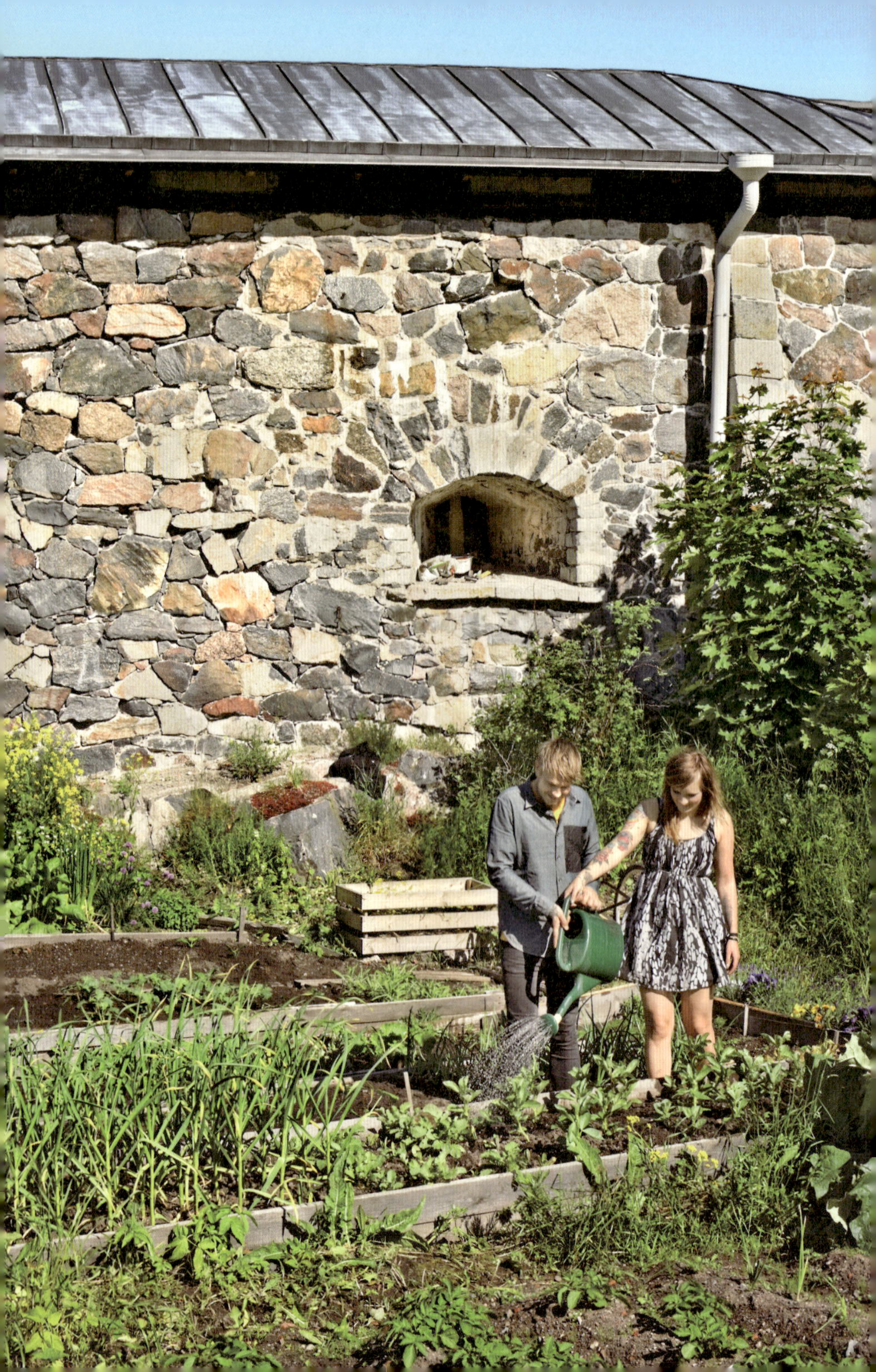

左上：菜の花が満開の畑の中を、ふたりでお散歩。右上：このあたりには、シジュウカラがたくさん集まってきます。右中：フィンランドの森の中でとれる、きのこを紹介するトランプ。どういった場所でとれるか、味わい、料理方法などのミニ情報も。左下：ホームメイドのブルーベリーパイで、おやつタイム。右下：さまざまなデザインのガーデンチェアが集まる広場は、のんびりするのにぴったり。

左上：お庭から10分ほど歩いて、ふたりの住まいへ。寝室にある大きなシダの鉢は、タネリさんがずっと欲しがっていたものをエーヴァ＝カイサさんがプレゼント。右上：エーヴァ＝カイサさんが作ったセラミックの花器に花をいけて。右中：暖炉の薪を入れるバスケットは、両親からのプレゼント。左下＆右下：タネリさんがすべてを手がけた、ハンドメイドのパーラーギター。

共同庭園を抜けた場所にある秘密の広場。ガーデニング作業のあいまに、ここでピクニックをしたり、日光浴をしたり、くつろぐことができます。

The editorial team

édition PAUMES

Photographs : Hisashi Tokuyoshi

Design : Kei Yamazaki, Megumi Mori

Illustrations : Kei Yamazaki

Text : Coco Tashima

Coordination : Anna Varakas

Editor : Coco Tashima

Editorial Advisor : Fumie Shimoji

Editorial Assistant : Suzuka Harada

Sales Manager : Rie Sakai

Sales Manager in Japan : Tomoko Osada

Art Direction : Hisashi Tokuyoshi

Contact : info@paumes.com   www.paumes.com

Impression : Makoto Printing System

Distribution : Shufunotomosha

We would like to thank all the green fingers that contributed to this book.

édition PAUMES　ジュウ・ドゥ・ポウム

ジュウ・ドゥ・ポウムは、フランスをはじめ海外のアーティストたちの日本での活動をプロデュースするエージェントとしてスタートしました。
魅力的なアーティストたちのことを、より広く知ってもらいたいという思いから、クリエーションシリーズ、ガイドシリーズといった数多くの書籍を手がけています。近著には「パリのヴィンテージ洋服屋さん」「ファミーユ・サマーベルのパリの暮らしと手づくりと」などがあります。ジュウ・ドゥ・ポウムの詳しい情報は、www.paumes.comをご覧ください。

また、アーティストの作品に直接触れてもらうスペースとして生まれた「ギャラリー・ドゥー・ディマンシュ」は、インテリア雑貨や絵本、アクセサリーなど、アーティストの作品をセレクトしたギャラリーショップ。ギャラリースペースで行われる展示会も、さまざまなアーティストとの出会いの場として好評です。ショップの情報は、www.2dimanche.comをご覧ください。

Thanks to : ヘルシンキ市観光局
日本オフィスMatkatoriでは、フィンランドに関する情報や楽しいイベントがたくさん。詳しい情報はこちらまで www.matkatori.jp

Finland Gardens
フィンランドのガーデニング

2012 年　10 月 31 日　初版第　1 刷発行

著者：ジュウ・ドゥ・ポゥム

発行人：德吉 久、下地 文恵
発行所：有限会社 ジュウ・ドゥ・ポゥム
　　　　〒150-0001 東京都渋谷区神宮前 3-5-6
　　　　編集部 TEL / 03-5413-5541
　　　　www.paumes.com

発売元：株式会社 主婦の友社
　　　　〒101-8911 東京都千代田区神田駿河台 2-9
　　　　販売部 TEL / 03-5280-7551

印刷製本：マコト印刷株式会社

Photos © Hisashi Tokuyoshi
© édition PAUMES 2012 Printed in Japan
ISBN978-4-07-286887-4

Ⓡ＜日本複写権センター委託出版物＞
本書（誌）を無断で複写複製（電子化を含む）することは、著作権法上の例外
を除き、禁じられています。本書（誌）をコピーされる場合は、事前に日本
複写権センター（JRRC）の許諾を受けてください。
また本書を代行業者等の第三者に依頼してスキャンやデジタル化すること
は、たとえ個人や家庭内での利用であっても、一切認められておりません。
日本複写権センター（JRRC）
http://www.jrrc.or.jp　eメール：info@jrrc.or.jp　電話：03-3401-2382

＊乱丁本、落丁本はおとりかえします。お買い求めの書店か、
　主婦の友社 販売部 03-5280-7551 にご連絡下さい。
＊記事内容に関する場合はジュウ・ドゥ・ポゥム 03-5413-5541 まで。
＊主婦の友社発売の書籍・ムックのご注文はお近くの書店か、
　コールセンター 049-259-1236 まで。主婦の友社ホームページ
　http://www.shufunotomo.co.jp/ からもお申込できます。

ジュウ・ドゥ・ポゥムのクリエーションシリーズ

笑顔あふれる、家族の空間と楽しい時間
Finland Family Style
フィンランドのファミリースタイル

著者：ジュウ・ドゥ・ポゥム
ISBNコード：978-4-07-274861-9
判型：A5・本文128ページ・オールカラー
本体価格：1,800円（税別）

フィンランド・デザインの魅力たっぷり
Finland Apartments
フィンランドのアパルトマン

著者：ジュウ・ドゥ・ポゥム
ISBNコード：978-4-07-279901-7
判型：A5・本文128ページ・オールカラー
本体価格：1,800円（税別）

夢が詰まった、かわいいインテリア
Finland Children's Rooms
フィンランドの子ども部屋

著者：ジュウ・ドゥ・ポゥム
ISBNコード：978-4-07-280749-1
判型：A5・本文128ページ・オールカラー
本体価格：1,800円（税別）

北欧スタイルに、おうちをデコしよう！
Nordic Deco Ideas
北欧デコ・アイデアブック

著者：ジュウ・ドゥ・ポゥム
ISBNコード：978-4-07-283475-6
判型：A5変形・本文128ページ・オールカラー
本体価格：1,800円（税別）

さわやかな北欧の風を感じるお庭と公園
Stockholm's Garden
北欧ストックホルムのガーデニング

著者：ジュウ・ドゥ・ポゥム
ISBNコード：978-4-07-256604-6
判型：A5・本文128ページ・オールカラー
本体価格：1,800円（税別）

イングリッシュ・ガーデンの世界へようこそ
London Gardens
ロンドンのガーデニング

著者：ジュウ・ドゥ・ポゥム
ISBNコード：978-4-07-264271-9
判型：A5・本文128ページ・オールカラー
本体価格：1,800円（税別）

www.paumes.com

ご注文はお近くの書店、または主婦の友社コールセンター（049-259-1236）まで。
主婦の友社ホームページ（http://www.shufunotomo.co.jp/）からもお申込できます。